#홈스쿨링
#혼자공부하기

똑똑한
하루 과학

Chunjae Makes Chunjae

▼

똑똑한 하루 과학

기획총괄	박상남
편집개발	조진형, 구영희, 김현주, 김성원
디자인총괄	김희정
표지디자인	윤순미, 박민정
내지디자인	박희춘, 우혜림
본문 사진 제공	야외생물연구회, 셔터스톡
제작	황성진, 조규영

발행일	2023년 1월 15일 2판 2023년 1월 15일 1쇄
발행인	(주)천재교육
주소	서울시 금천구 가산로9길 54
신고번호	제2001-000018호
고객센터	1577-0902

※ 정답 분실 시에는 천재교육 홈페이지에서 내려받으세요.

※ KC 마크는 이 제품이 공통안전기준에 적합하였음을 의미합니다.

※ 주의

책 모서리에 다칠 수 있으니 주의하시기 바랍니다.

부주의로 인한 사고의 경우 책임지지 않습니다.

8세 미만의 어린이는 부모님의 관리가 필요합니다.

똑 똑 한

하루 과학

3-1

쉬운 용어 학습
교과 용어를 쉽게 설명하여
교과 이해력 향상!

재미있는 비주얼씽킹
만화, 사진으로
흥미로운 탐구 학습!

간편한 스케줄링
하루 6쪽, 주 5일, 4주 학습
한 학기 공부습관 완성!

똑똑한 하루 과학
어떤 책인지 알면 공부가 더 재미있어.

똑똑한 하루 과학 구성과 특징

핵심 용어

- 핵심 용어만 쏙!
- 한자와 예문으로 이해 쏙쏙!
- 그림으로 기억력 UP!

실험 동영상

빠른 정답 보기

① 개념 만화

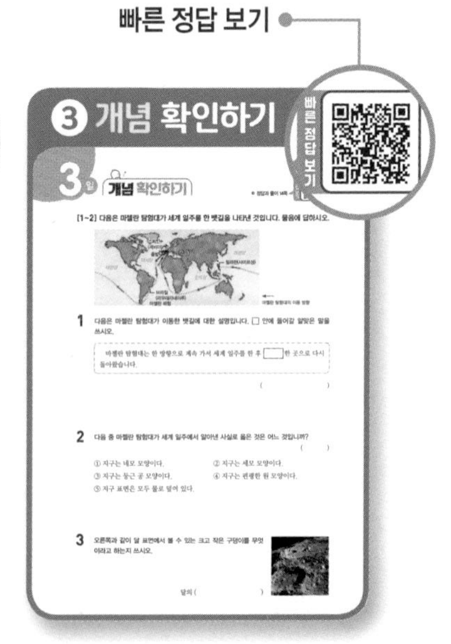

- '① 개념 만화 → ② 개념 익히기 → ③ 개념 확인하기' 3단계로 하루 학습
- 하루 6쪽, 4주면 한 학기 공부 끝!

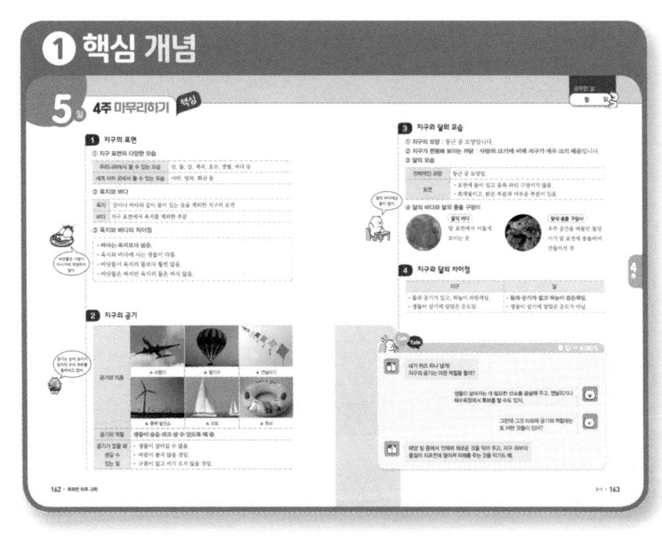

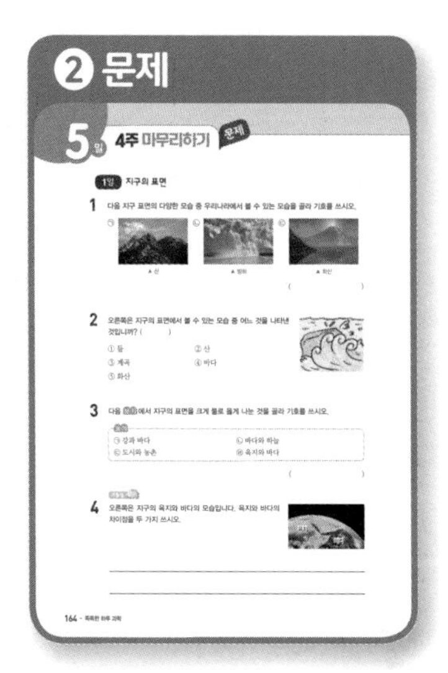

• '① 핵심 개념 → ② 문제' 2단계로 하루 학습

특강

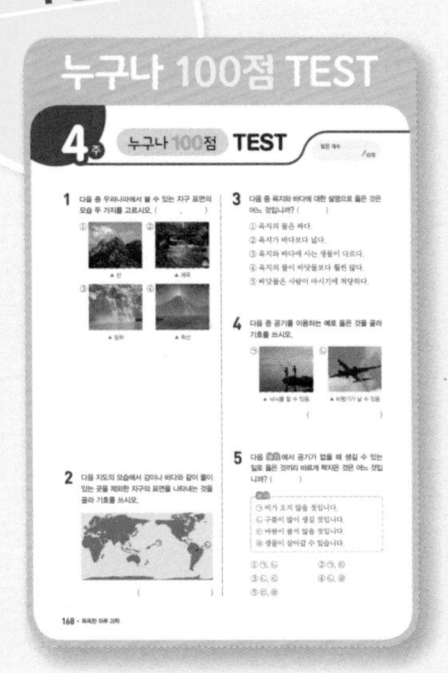

• 한 주에 배운 내용을 확인하는 누구나 100점 맞는 TEST
• 재미있고 새로운 유형의 특강으로 창의력, 사고력, 논리력 UP!

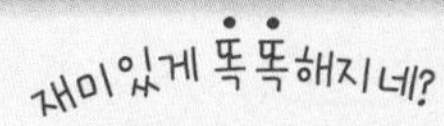

하루하루
조금씩 기초부터 쌓다 보면
어느새 자신감이 생겨.

똑똑한 하루 과학 **차례**

자석의 이용

지구의 모습

똑똑한 하루 과학을 함께할 친구들

타르

행동이 앞서는
좌충우돌 번개의 신

미주

과학에 관심이 많은
똑똑한 여자 아이

선경

모험심과 책임감이
강한 미주의 이모

집행관

타르 신을 쫓아온
허당 집행관

과학 탐구

1 관찰하기

① 관찰 : 탐구하고자 하는 대상의 특징을 자세히 살펴보는 것

② 관찰하는 방법

• 눈, 코, 입, 귀, 피부의 다섯 가지 감각 기관을 사용할 수 있습니다.

• 돋보기, 현미경, 청진기 등의 관찰 도구를 사용하면 좀 더 자세히 관찰할 수 있습니다.

'맛있을 것 같다.' 처럼 나만의 생각이나 이미 알고 있는 것은 '관찰'이 아니야.

살펴보기(눈)

냄새 맡기(코)

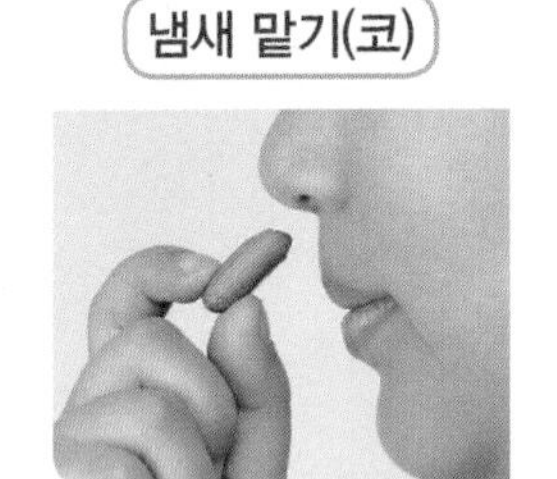

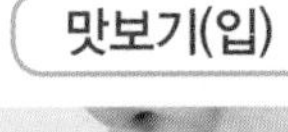

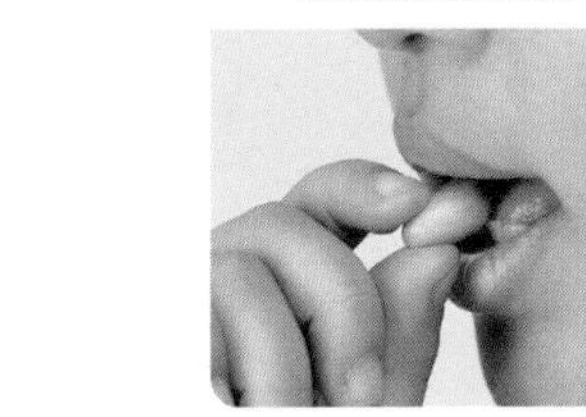

소리 듣기(귀)

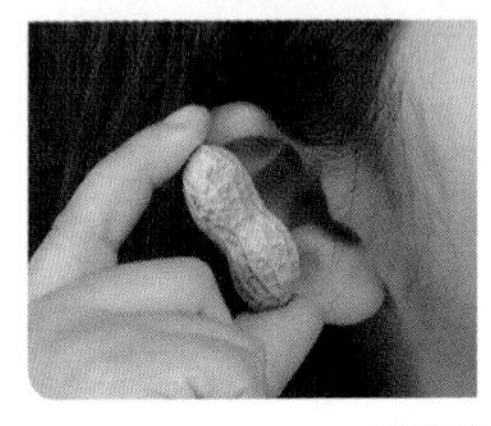

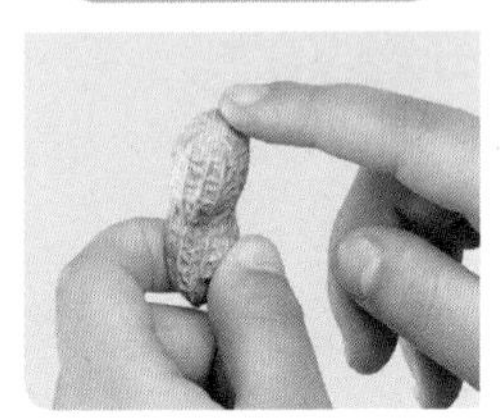

▲ 관찰하는 방법(예 땅콩 관찰하기)

2 측정하기

① 측정 : 탐구하고자 하는 대상의 길이, 무게, 시간, 온도 등을 재는 것

② 측정하는 방법

• 측정할 때 사용하는 도구의 예

길이	무게	시간	온도
자	저울	시계	온도계

측정 도구에는 자, 저울, 온도계 등이 있어.

• 알맞은 측정 도구를 선택하여 올바른 방법으로 측정합니다.

• 여러 번 측정한 결과를 비교하여 가장 많이 나온 결괏값을 선택합니다.

3 예상하기

① 예상 : 앞으로 일어날 수 있는 일을 생각하는 것

② 예상하는 방법 : 이미 관찰하거나 경험하여 알고 있는 것에서 규칙을 찾아내면 더 쉽게 예상할 수 있습니다.

4 분류하기

① 분류 : 탐구 대상의 공통점과 차이점을 바탕으로 무리 짓는 것

② 분류하는 방법

누가 분류하더라도 같은 분류 결과가 나와야 해.

관찰하여 대상들의 특징을 먼저 찾기 ➡ 그중 한 가지를 골라 분류 기준 세우기 ➡ 분류 기준에 따라 분류하기

③ 분류 기준에 따라 분류해 보기 ㉠

분류 기준 : 땅을 딛고 있는 다리가 4개인가?	
그렇다.	그렇지 않다.
❸, ❹, ❺, ❼	❶, ❷, ❻, ❽

5 추리하기

추리한 것이 관찰 결과를 모두 설명할 수 있어야 해.

① 추리 : 관찰 결과, 과거 경험, 이미 알고 있는 것 등을 바탕으로 하여 무슨 일이 일어났는지 생각하는 것

② 추리하는 방법

- 탐구 대상을 주의 깊게 관찰하여 대상에 대한 정보를 많이 얻을수록 좋습니다.
- 관찰한 것을 자신이 알고 있는 것과 과거 경험과 관련지어 생각해야 합니다.

6 의사소통하기

① 의사소통 : 다른 사람과 생각이나 정보를 주고받는 것

② 의사소통하는 방법

- 정확한 용어를 사용하여 간단하게 설명합니다.
- 표, 그림, 몸짓 등을 사용하면 더 정확하게 전달할 수 있습니다.

1주 물질의 성질

이번 주에는 무엇을 공부할까? ①

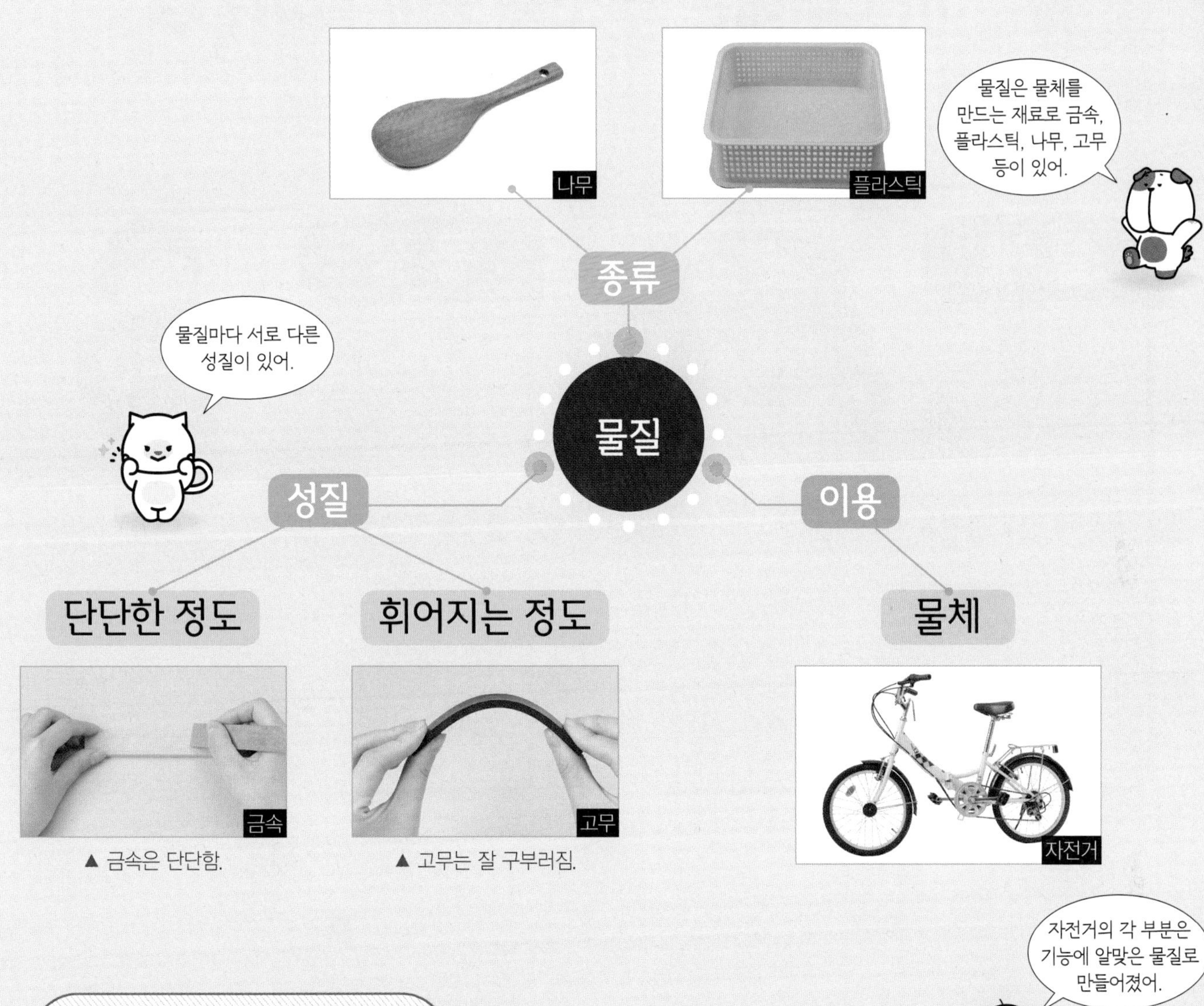

물질마다 성질이 다르고 물체의 기능에 알맞은 물질을 선택하여 물체를 만들어야 사용하기 좋다는 것 꼭 기억해!

1주 핵심 용어

이번 주에는 무엇을 공부할까? ❷

물체

物 體

물건 물 몸 체

뜻 모양이 있고 공간을 차지하는 것

예 하늘에 이상한 비행 **물체**가 떠 있어요.

물질

物 質

물건 물 바탕 질

뜻 물체를 만드는 재료

예 냄비의 손잡이 부분은 열이 전달되지 않는 **물질**로 만들어져 있어요.

플라스틱

뜻 석유에서 뽑아서 만든 물질로, 가볍고 튼튼하여 그 종류와 용도가 매우 다양함.

예 쓰레기를 버릴 때 **플라스틱**은 따로 분리하여 버려야 해요.

고무

뜻 잘 구부러지고 잡아당기면 늘어났다가 놓으면 다시 돌아오는 성질이 있음.

예 **고무**풍선을 불어서 팽팽하게 만들었어요.

물질과 관련된 다양한 용어가 있어.
특히 물질과 물체를 구별해서 기억해!

기능

機 能

뜻 **물체 등이 하는 일이나 작용**

예 자전거가 오래되어서 그런지 브레이크가 제 **기능**을 하지 못해요.

성질

性 質

성질 성 바탕 질

뜻 **사물이나 현상이 가지고 있는 고유의 특성**

예 고추는 매운 **성질**이 있어요.

물질에 따라
성질이 달라.

광택

光 澤

빛 광 윤 택

뜻 **물체의 겉에 번쩍거리는 빛**

예 아버지 구두를 구둣솔로 열심히 닦았더니 **광택**이 나요.

1일 물체와 물질

어떤 물체에 자동차 바퀴가 부딪쳤어!

용어 체크

물체

모양이 있고 공간을 차지하는 것

예 주걱, 의자, 윷 등은 나무로 만들어진  이다.

▲ 나무로 만들어진 물체

정답 ❶ 물체

타이어는 꼭 고무 물질로 만들어야 해?

용어 체크

물질

물체를 만드는 재료

예 • 책상은 나무와 같은 ❶ (　　) 로 만들 수 있다.

• 열쇠는 단단한 금속 ❷ (　　) 로 만들어졌다.

物	質
물건	바탕
물	질

정답 ❶ 물질 ❷ 물질

1일 **개념 익히기**

1 물체를 만드는 재료에는 어떤 것들이 있을까?

금속, 플라스틱처럼 **물체**를 만드는 재료를 **물질**이라고 해.

금속

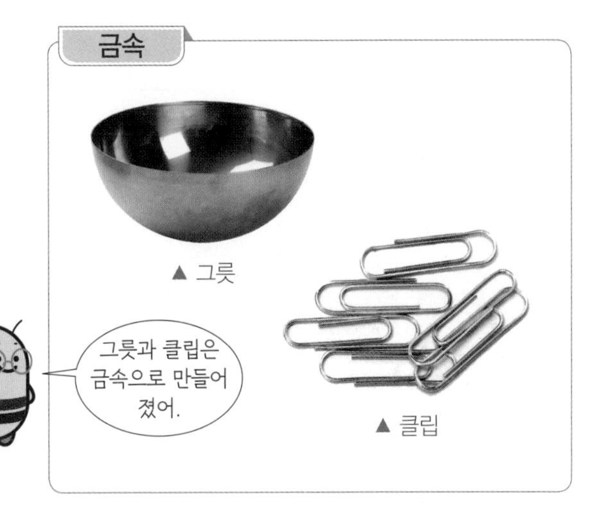

▲ 그릇

▲ 클립

플라스틱

▲ 바구니

▲ 장난감 블록

나무

▲ 의자

▲ 주걱

고무

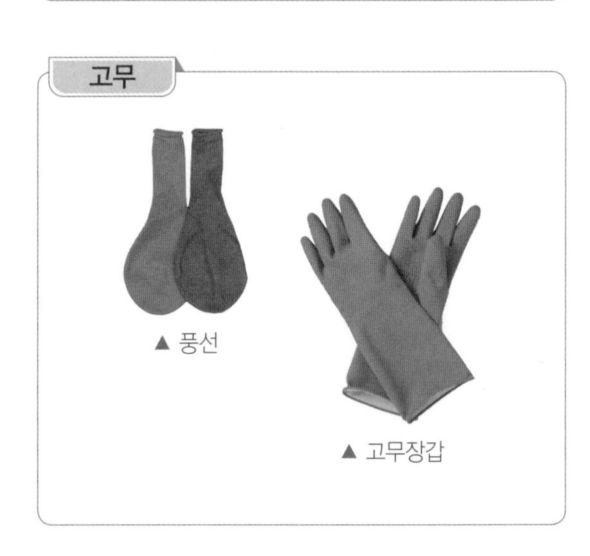

▲ 풍선

▲ 고무장갑

금속과 플라스틱

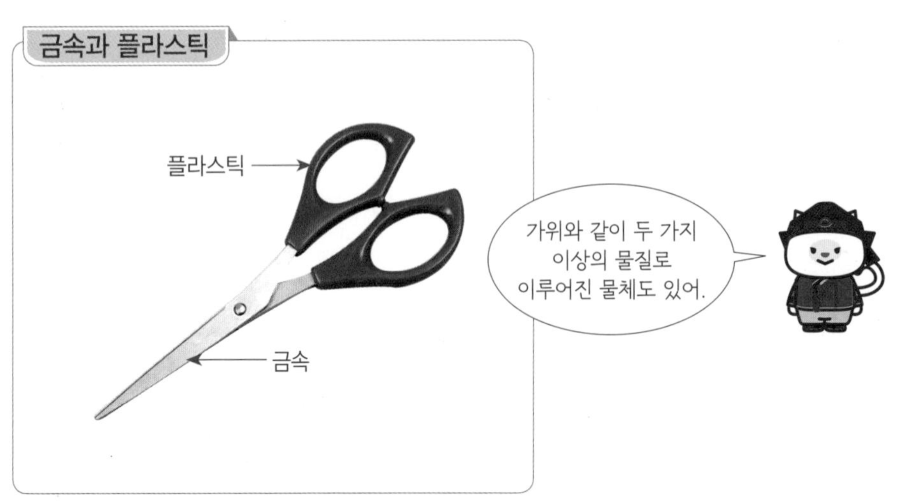

[1](물질 / 물체)에는 금속, 플라스틱, 나무, 고무 등이 있습니다.

2 여러 가지 물질의 성질을 알아볼까?

실험 동영상

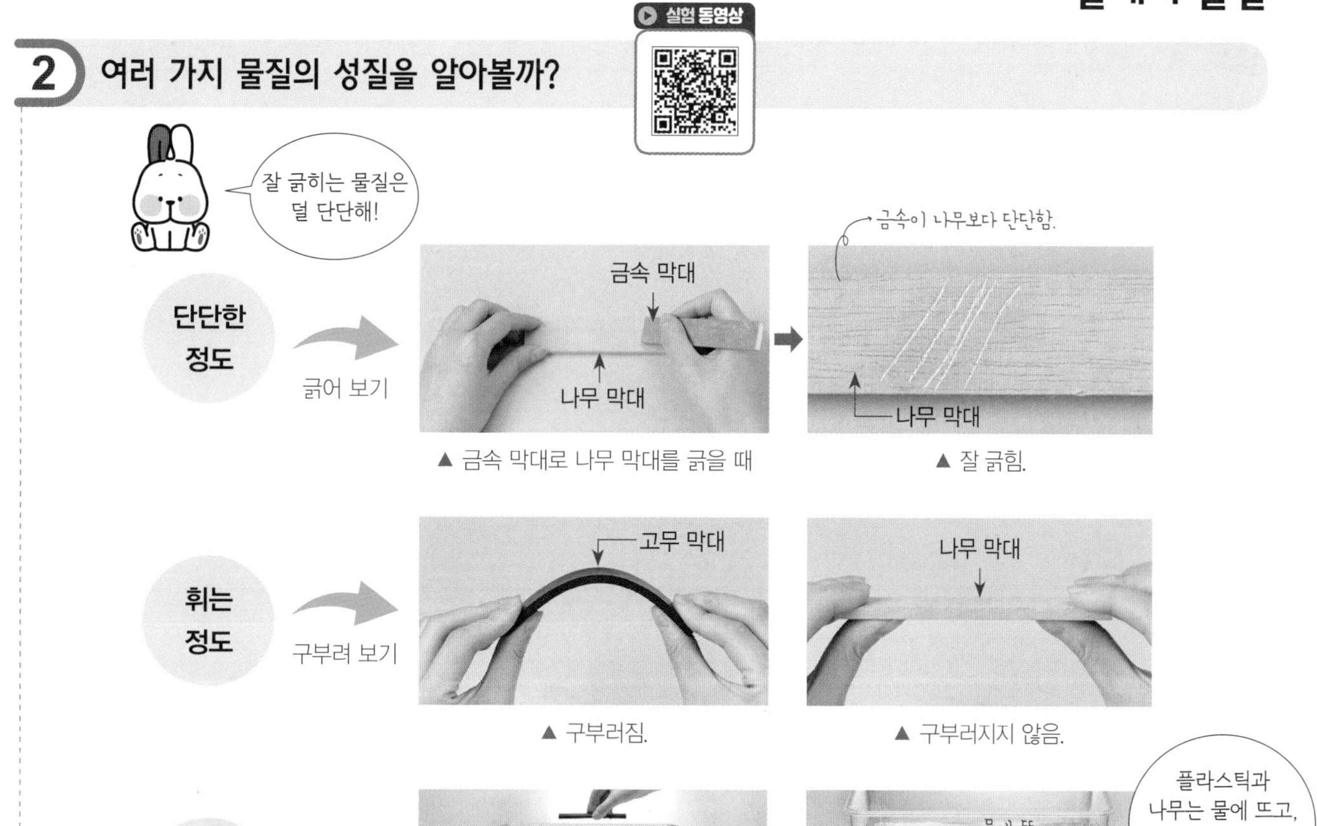

▲ 금속 막대로 나무 막대를 긁을 때 ▲ 잘 긁힘.

▲ 구부러짐. ▲ 구부러지지 않음.

▲ 네 가지 막대를 물에 넣었을 때

- 가장 단단한 물질 : 금속
- 가장 잘 구부러지는 물질 : 고무
- 물에 뜨는 물질 : 플라스틱, 나무
- 물에 가라앉는 물질 : 금속, 고무

고무와 나무 중 잘 구부러지는 물질은 ❷(고무 / 나무)입니다.

정답 ❶ 물질 ❷ 고무

개념 체크

정답과 풀이 1쪽

1 물체를 만드는 재료를 ☐☐(이)라고 합니다.

2 풍선, 고무장갑은 ☐☐(으)로 만들어졌습니다.

3 플라스틱과 ☐☐은/는 물에 뜹니다.

보기
- 물체
- 물질
- 금속
- 고무
- 나무
- 유리

개념 확인하기

정답과 풀이 1쪽

빠른 정답 보기

1 다음 중 물질이 아닌 것은 어느 것입니까? (　　　)

① 나무　② 금속　③ 고무
④ 책상　⑤ 플라스틱

2 다음 물체를 이루고 있는 물질을 보기 에서 골라 각각 쓰시오.

보기
금속　플라스틱　나무　고무　밀가루

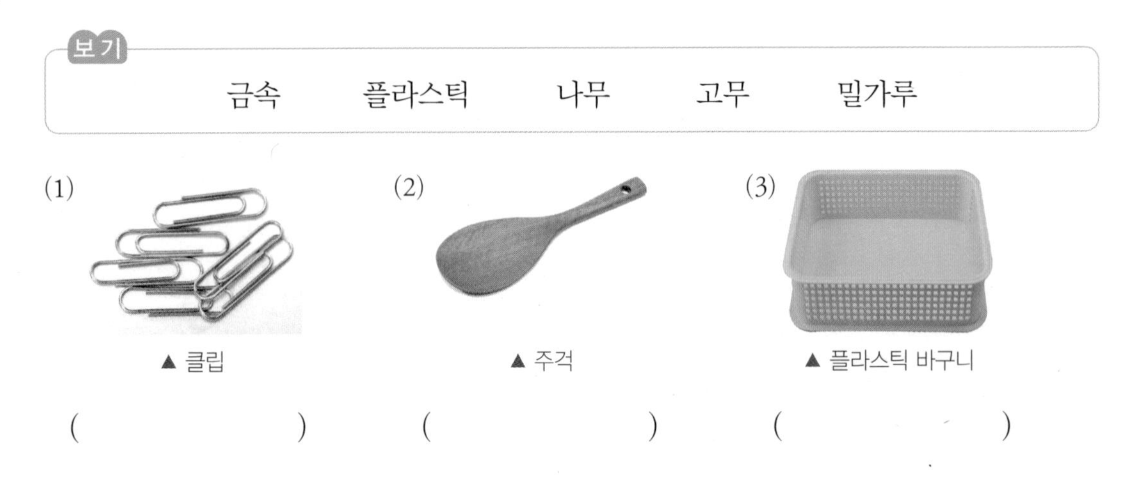

(1) ▲ 클립　(2) ▲ 주걱　(3) ▲ 플라스틱 바구니

(　　　)　(　　　)　(　　　)

3 다음 중 물체와 물질에 대한 설명으로 옳지 않은 것은 어느 것입니까? (　　　)

① 나무 의자는 나무로 만든 물체이다.
② 책상은 물체이고, 나무는 물질이다.
③ 가위는 금속과 플라스틱으로 만들어졌다.
④ 물체는 모양이 있고 공간을 차지하고 있다.
⑤ 물체는 모두 한 가지 물질로만 만들어졌다.

4 금속 막대와 나무 막대를 서로 긁어보았더니 오른쪽과 같이 나무 막대만 깊게 파였습니다. 금속과 나무 중 더 단단한 물질을 쓰시오.

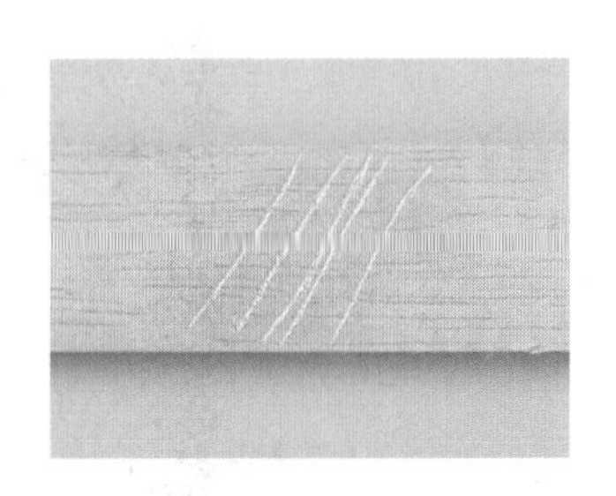

(　　　)

5 다음 중 네 가지 막대를 물이 담긴 수조에 넣었을 때 물에 가라앉는 것을 두 가지 고르시오.

(,)

①

▲ 금속 막대

② 

▲ 플라스틱 막대

③ 

▲ 고무 막대

④ 

▲ 나무 막대

6 다음 중 여러 가지 물질의 성질에 대해 바르게 설명한 친구의 이름을 쓰시오.

> 수인 : 금속은 잘 구부러져.
> 진우 : 플라스틱은 금속보다 가벼워.
> 유정 : 고무는 광택이 있고, 매우 단단해.

( )

7 다음 □ 안에 들어갈 알맞은 낱말을 말 상자에서 찾아 모두 ○표를 하세요. 말 상자의 낱말은 가로, 세로, 대각선에 숨어 있어요.

플	금		물
	라	의	체
고	나	스	자
무	열	무	틱
나	무		보

❶ 모양이 있고 공간을 차지하는 것. □□

❷ 자, 탁구공, 플라스틱 바구니를 이루고 있는 물질. □□□□

❸ 쉽게 구부러지는 성질이 있는 물질. □□

2일 물질의 성질 이용

쓰레받기의 몸체가 플라스틱이야?

용어 체크

플라스틱

석유에서 뽑아서 만든 물질로, 가볍고 튼튼하여 그 종류와 용도가 매우 다양함.

예 다양한 색깔과 모양의 ❶ [ ] 그릇이 있다.

고무

잘 구부러지고 잡아당기면 늘어났다가 놓으면 다시 돌아오는 성질이 있음.

예 ❷ [ ] 줄은 잘 늘어난다.

정답 ❶ 플라스틱 ❷ 고무

물체를 사용하기 편리하게 하려면?

용어 체크

기능

물체 등이 하는 일이나 작용

예 • 새로운 ❶ [ ] 이 추가된 신제품이 개발되었다.

• 컴퓨터에 새로운 ❷ [ ] 을 추가하였다.

정답 ❶ 기능 ❷ 기능

2일 개념 익히기 물질의 성질 이용

1 한 가지 물질로 만들어진 물체와 각 물체를 그 물질로 만들면 좋은 점은 무엇일까?

▲ 금속 고리 ▲ 고무줄 ▲ 플라스틱 바구니

고무줄은 ❶(금속 / 고무)(으)로 만들어 잘 늘어나고, 다른 물체를 쉽게 묶을 수 있습니다.

2 두 가지 이상의 물질로 된 물체와 각 물체를 그 물질로 만들면 좋은 점은 무엇일까?

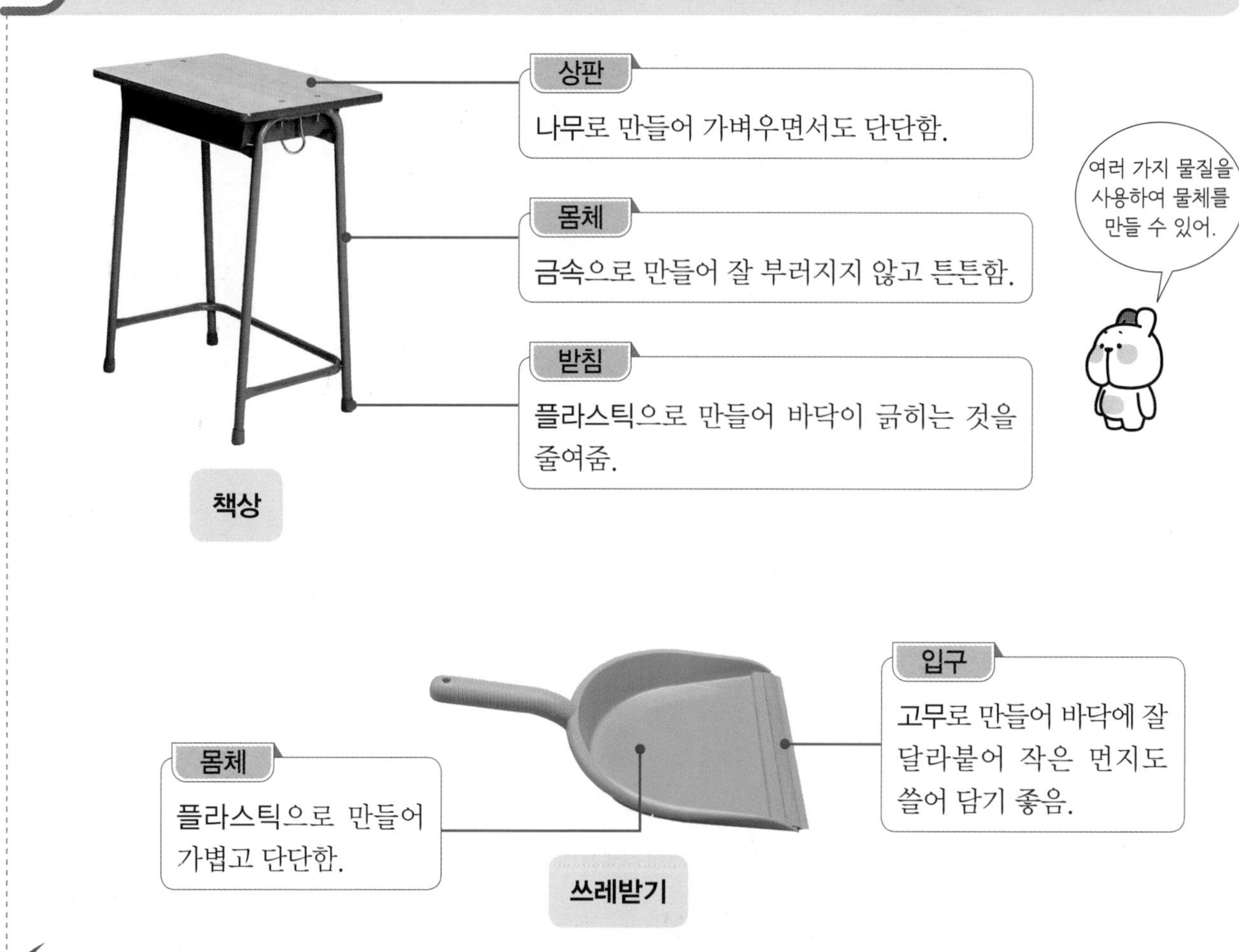

책상의 상판은 ❷(고무 / 금속 / 나무)(으)로 만들어 가벼우면서도 단단합니다.

3 자전거를 이루고 있는 물질을 알아볼까?

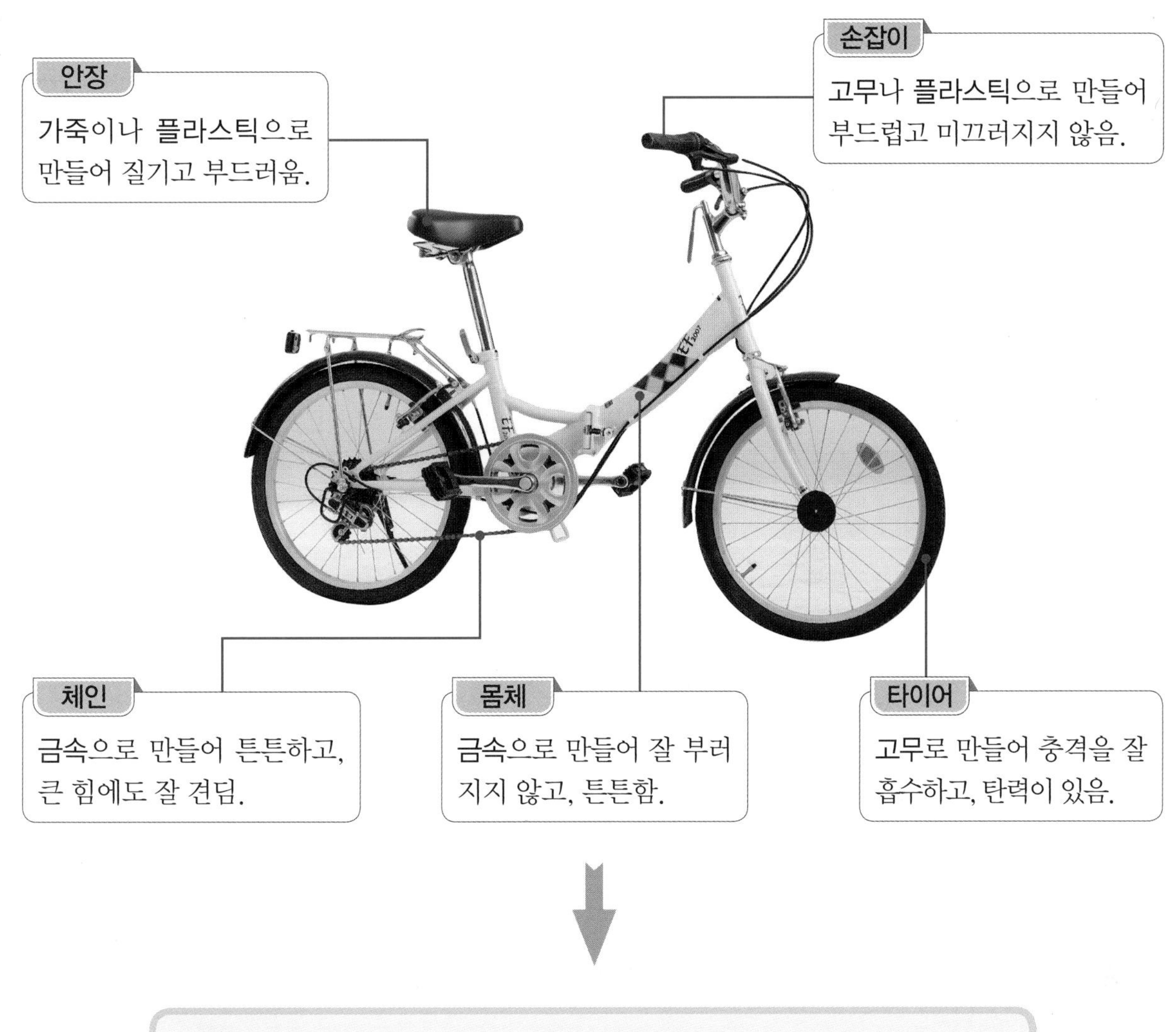

물체의 기능에 알맞은 물질을 선택하여 물체를 만들면 사용하기에 더 좋음.

자전거의 체인은 ❸(플라스틱 / 금속)(으)로 만들어 튼튼하고, 큰 힘에도 잘 견딥니다.

정답 ❶ 고무 ❷ 나무 ❸ 금속

개념 체크

정답과 풀이 1쪽

1 책상의 몸체는 ☐☐(으)로 만들어 잘 부러지지 않고 튼튼합니다.

2 쓰레받기의 몸체는 ☐☐☐☐(으)로 만들어 가볍고 단단합니다.

3 자전거의 타이어는 ☐☐(으)로 만들어 충격을 잘 흡수합니다.

보기
- 나무
- 고무
- 유리
- 종이
- 금속
- 플라스틱

개념 확인하기

정답과 풀이 1쪽

1 다음은 교실에서 볼 수 있는 여러 가지 물체입니다. ㉠과 ㉡은 각각 어떤 물질로 이루어져 있는지 쓰시오.

㉠ 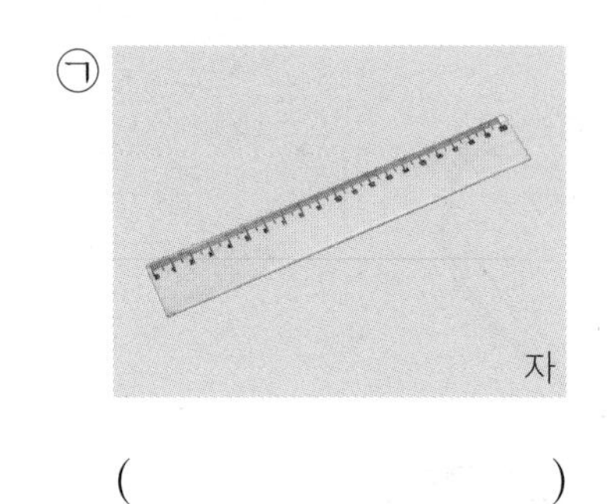
자

㉡ 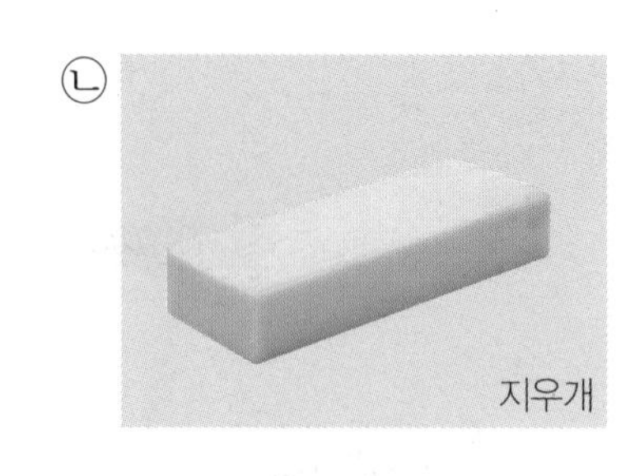
지우개

( ) ( )

2 다음은 금속 고리를 금속으로 만들어 좋은 점입니다. ( ) 안의 알맞은 말에 ○표를 하시오.

다른 물질로 만들어진 물체보다 (가볍습니다 / 튼튼합니다).

3 다음 중 오른쪽의 고무줄을 고무로 만들면 좋은 점을 두 가지 고르시오. (,)

① 단단하다.
② 잘 늘어난다.
③ 향기가 좋다.
④ 고무 특유의 무늬가 있다.
⑤ 다른 물체를 쉽게 묶을 수 있다.

4 오른쪽 쓰레받기의 각 부분을 이루고 있는 물질을 각각 쓰시오.

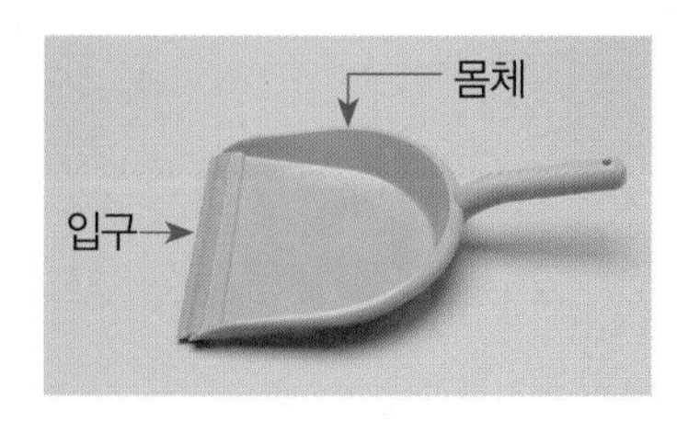

(1) 몸체 : ( )
(2) 입구 : ( )

5 다음 중 자전거처럼 한 물체를 여러 가지 물질을 함께 사용하여 만들 때 좋은 점으로 옳은 것은 어느 것입니까? (　　　　)

① 빨리 만들 수 있다.
② 쉽게 만들 수 있다.
③ 많이 만들 수 있다.
④ 여러 가지 색깔로 만들 수 있다.
⑤ 기능에 알맞게 만들 수 있다.

집중 연습 문제 물체의 각 부분을 다른 물질로 만들 때의 좋은 점

6 오른쪽 책상의 받침을 플라스틱으로 만들었을 때의 좋은 점으로 옳은 것을 보기에서 골라 기호를 쓰시오.

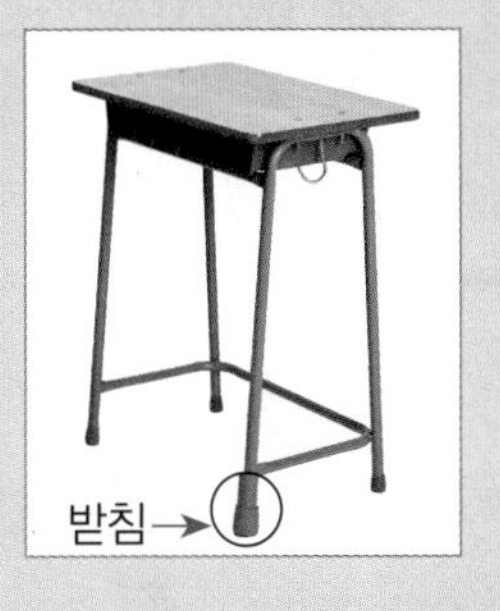

㉠ 질기고 부드럽습니다.
㉡ 물에 잘 젖지 않습니다.
㉢ 바닥이 긁히는 것을 줄여 줍니다.

(　　　　　　　　)

책상의 각 부분은 어떤 물질로 만들었는지 써 볼까?

- 상판 ➔ (　　　)
- 몸체 ➔ (　　　)
- 받침 ➔ (　　　)

7 다음은 쓰레받기의 입구 부분에 사용된 물질과 그 물질로 만들었을 때의 좋은 점입니다. □ 안에 들어갈 알맞은 물질을 쓰시오.

- 물질 : □
- 좋은 점 : 바닥에 잘 달라붙어 작은 먼지도 쓸어 담기 좋습니다.

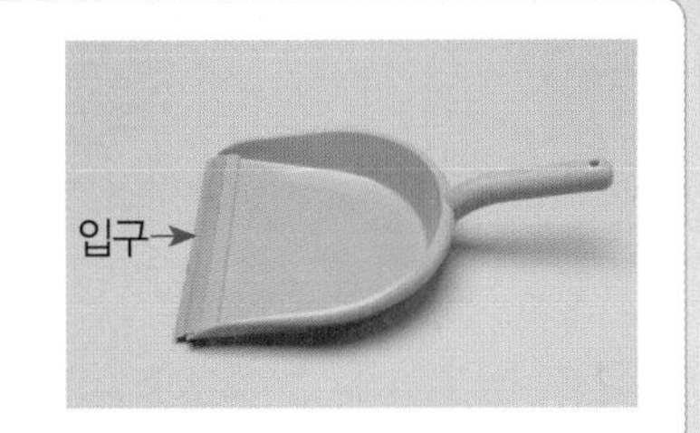

(　　　　　　　　)

바닥에 잘 달라붙어 작은 먼지도 쓸어 담으려면 잘 구부러지는 성질이 있어야겠지?

3일 서로 다른 물질로 만든 물체

캠핑을 왔어도 품위는 지켜야지!

맞네, 맞아. 캠핑에 **도자기**를 챙겨오다니, 처음이 맞아.

이게 어떤 도자기인 줄 알고?

도자기 장인께서 한줌한줌 고운 흙으로 빚어 만든 세상에 하나밖에 없는 도자기라고!

어쩐지 가방이 무겁다고 했어.

용어 체크

도자기

흙으로 빚어서 높은 열로 구워 만든 그릇 또는 그렇게 만든 재료를 말하기도 함.

예 우리나라의 ❶ ______ 는 색깔이 은은하고 기품이 있다.

▲ 굽기 위해 가마에 넣은 도자기 그릇

정답 ❶ 도자기

용도에 알맞은 물질을 선택하라고?

용어 체크

용도

쓰이는 길 또는 쓰이는 곳

用	途
쓸	길
용	도

예 • 이 칼은 여러 가지 ❶ [ ] 로 두루 쓰인다.

• 이 모자는 자외선을 차단하는 ❷ [ ] 로 만들어졌다.

정답 ❶ 용도 ❷ 용도

3일 개념 익히기

1 서로 다른 물질로 만든 컵과 장갑의 좋은 점은 무엇일까?

서로 다른 물질로 만든 컵

서로 다른 물질로 만든 장갑

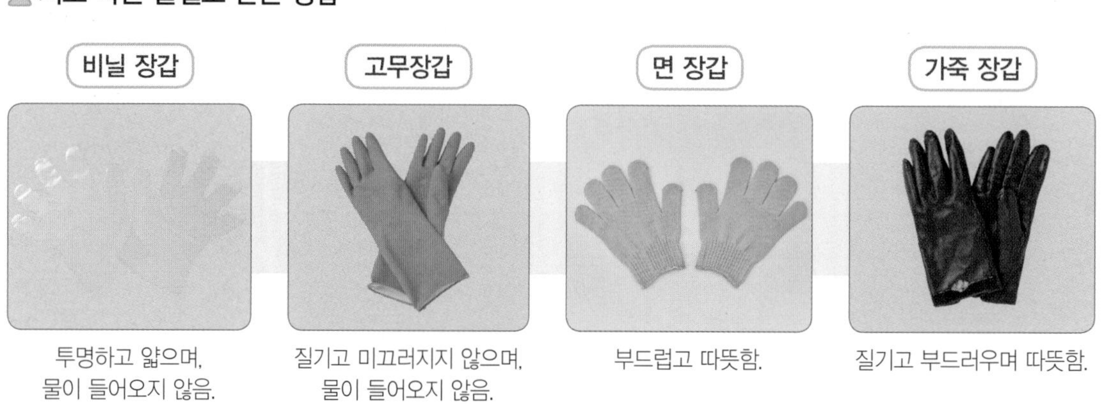

❶(플라스틱 / 도자기) 컵은 음식을 오랫동안 따뜻하게 보관할 수 있고, ❷(비닐 / 가죽) 장갑은 질기고 부드러우며 따뜻합니다.

2 금속이나 유리로만 된 신발을 신는다면 어떨까?

▲ 금속 신발 ▲ 유리 신발

아, 그래서 신발은 섬유나 가죽으로 만드는구나.

- 금속 신발 : 신발이 구부러지지 않아 불편할 것임.
- 유리 신발 : 신발이 다른 물체에 부딪쳤을 때 쉽게 깨져 다칠 수 있음.
- 어떤 물질로 물체를 만들었을 때 용도에 따라 불편한 점이 있을 수 있음.

➡ 물체를 만들 때는 **용도**를 생각하여 알맞은 성질의 물질을 선택해야 함.

금속이나 유리 신발은 불편하므로 신발은 섬유, ❸(가죽 / 플라스틱) 등으로 만듭니다.

정답 ❶ 도자기 ❷ 가죽 ❸ 가죽

개념 체크

정답과 풀이 2쪽

1 플라스틱 컵은 가볍고 ☐☐합니다.

2 ☐☐장갑은 질기고 미끄러지지 않으며 물이 들어오지 않습니다.

3 물체를 만들 때는 용도를 생각하여 알맞은 ☐☐의 물질을 선택합니다.

보기
- 단단
- 크기
- 성질
- 고무

개념 확인하기

○ 정답과 풀이 2쪽

1 다음 중 싸고 가벼워서 손쉽게 사용할 수 있는 컵은 어느 것입니까? (　　　)

① 
▲ 금속 컵

② 
▲ 종이컵

③ 
▲ 유리컵

④ 
▲ 도자기 컵

2 다음은 여러 가지 컵의 좋은 점입니다. (　　) 안의 알맞은 말에 ○표를 하시오.

(유리 / 도자기 / 금속) 컵은 잘 깨지지 않고, 튼튼합니다.

3 다음의 좋은 점을 가진 장갑을 이루고 있는 물질을 비닐, 고무, 가죽, 면 중에서 골라 각각 쓰시오.

(1) 투명하고 얇습니다. (　　　　　　　)

(2) 질기고 미끄러지지 않으며 물이 들어오지 않습니다. (　　　　　　　)

4 다음 중 오른쪽 가죽 장갑의 좋은 점을 두 가지 고르시오.

(　　　,　　　)

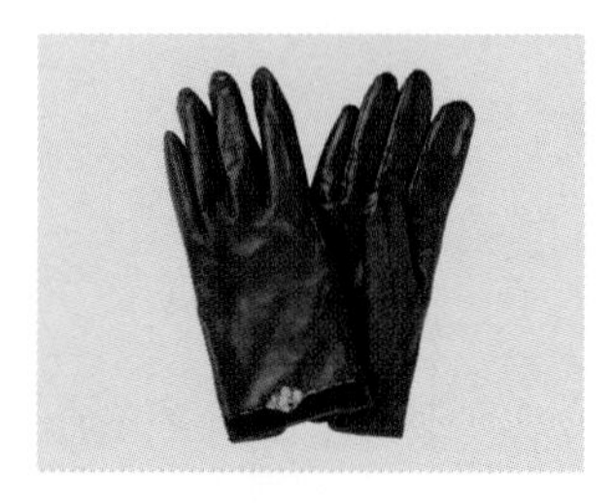

① 질기다.
② 시원하다.
③ 따뜻하다.
④ 투명하고 얇다.
⑤ 물속에서 사용하기 좋다.

5 금속이나 유리로만 된 신발에 대한 설명으로 옳은 것을 다음 보기에서 골라 기호를 쓰시오.

보기
㉠ 금속이나 유리로만 된 신발은 좋은 점만 있습니다.
㉡ 금속과 유리로만 된 신발을 신으면 발이 편안합니다.
㉢ 금속이나 유리로만 된 신발을 신을 때 불편한 점이 있을 수 있습니다.

( )

6 다음 □ 안에 공통으로 들어갈 알맞은 말을 쓰시오.

물체를 이루고 있는 □에 따라 좋은 점이 서로 달라서, 종류가 같은 물체를 서로 다른 □(으)로 만들면 상황에 알맞게 골라서 사용할 수 있습니다.

( )

7 다음 □ 안에 들어갈 알맞은 낱말을 말 상자에서 찾아 모두 ○표를 하세요. 말 상자의 낱말은 가로, 세로, 대각선에 숨어 있어요.

고	유	☆	용
죽	라	리	도
비	나	자	자
명	닐	부	불
풀	☆	종	이

1. 투명하여 무엇이 들어 있는지 알 수 있는 □□컵
2. 투명하고 얇으며 물이 들어오지 않는 □□ 장갑
3. 물체를 만들 때는 □□를 생각하여 알맞은 성질의 물질을 선택해야 함.

4일 물질의 성질 변화

모양이 비슷하면 물질의 성질도 같을까?

용어 체크

성질

사물이나 현상이 가지고 있는 고유의 특성

예 단단한 정도, 휘는 정도, 물에 뜨는 정도 등 물질마다 ❶ [ ] 이 다르다.

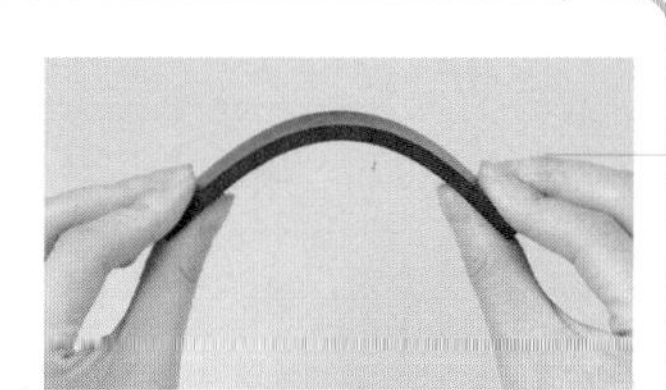

▲ 구부려 휘는 정도 알아보기

정답 ❶ 성질

광택이 나는 저 물체는 뭐야?

용어 체크

광택

물체의 겉에 번쩍거리는 빛

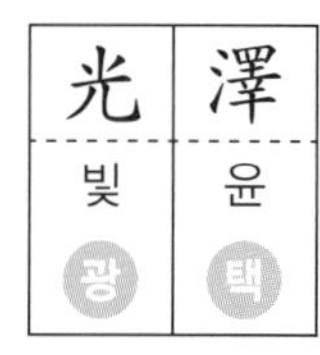

光	澤
빛	윤
광	택

예 • 그는 ❶ ______ 이 나도록 집 안의 가구를 닦았다.

• 안방의 자개장이 오래되어 ❷ ______ 을 잃었다.

정답 ❶ 광택 ❷ 광택

4일 개념 익히기

1 서로 다른 물질을 섞어 탱탱볼을 만들어 볼까?

필요한 물질

물

투명하며, 만지면 흘러내림.

붕사

폴리비닐 알코올

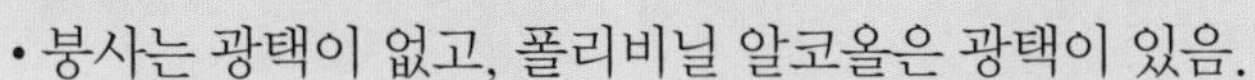

- 하얀색이고 손으로 만지면 깔깔함.
- 붕사는 광택이 없고, 폴리비닐 알코올은 광택이 있음.

만드는 방법

1

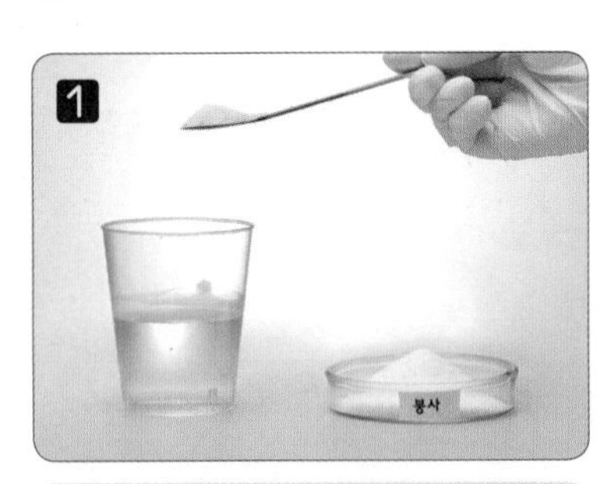

따뜻한 물에 붕사를 두 숟가락 넣고 유리막대로 젓기

2

1에 폴리비닐 알코올을 다섯 숟가락 넣고 저어 준 뒤에 3분 정도 기다리기

3

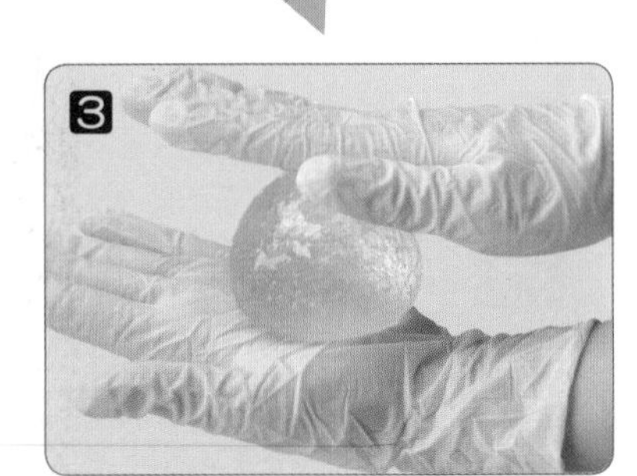

엉긴 물질을 꺼내 손으로 주무르면서 공 모양을 만들기

탱탱볼을 만들 때 물, 붕사, ❶(알코올 / 폴리비닐 알코올) 등이 필요합니다.

2 물, 붕사, 폴리비닐 알코올을 섞으면 어떤 현상이 일어날까?

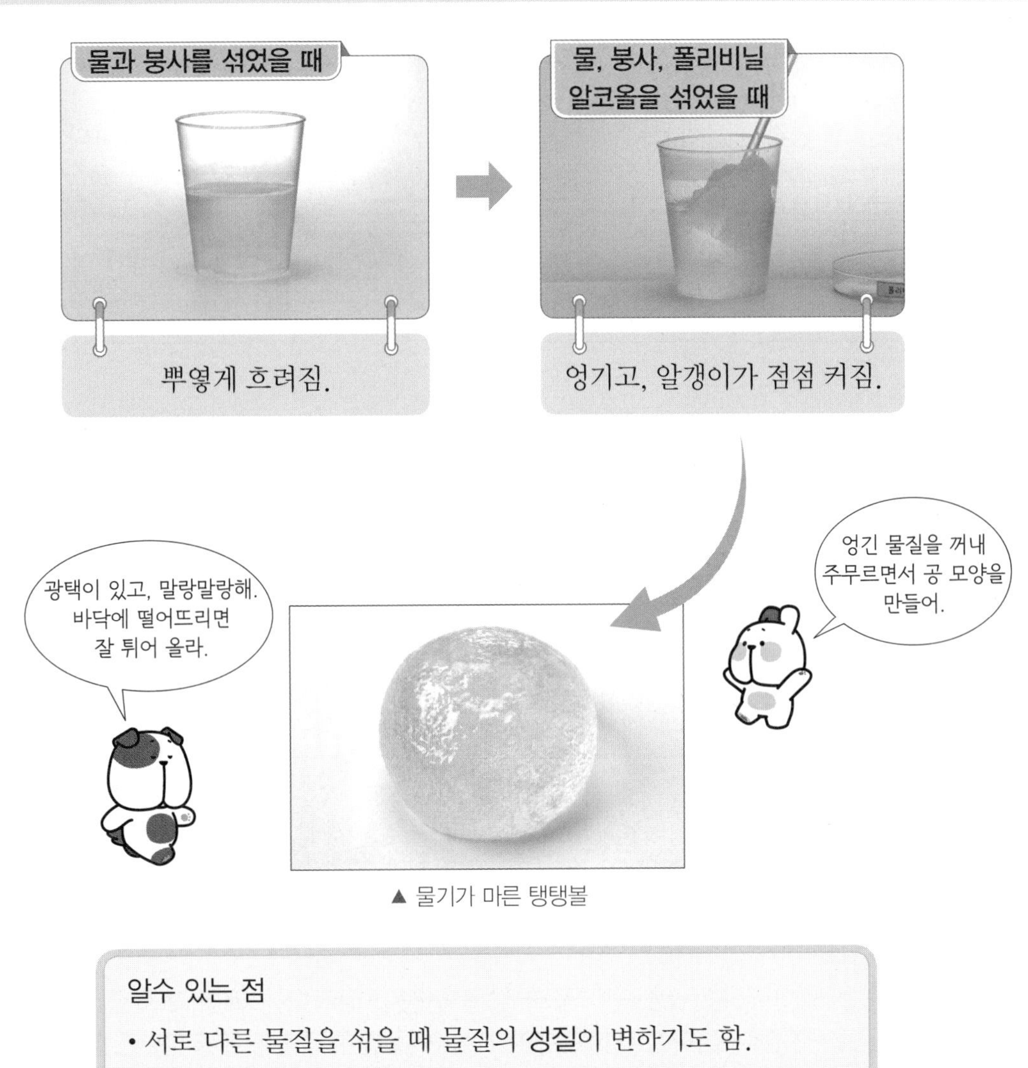

▲ 물기가 마른 탱탱볼

알수 있는 점

- 서로 다른 물질을 섞을 때 물질의 성질이 변하기도 함.
- 탱탱볼은 붕사나 폴리비닐 알코올과 다른 성질을 가진 물질임.

물, 붕사, 폴리비닐 알코올을 섞으면 섞기 전 각 물질이 가지고 있던 성질이 ②(변합니다 / 변하지 않습니다).

정답 ① 폴리비닐 알코올 ② 변합니다

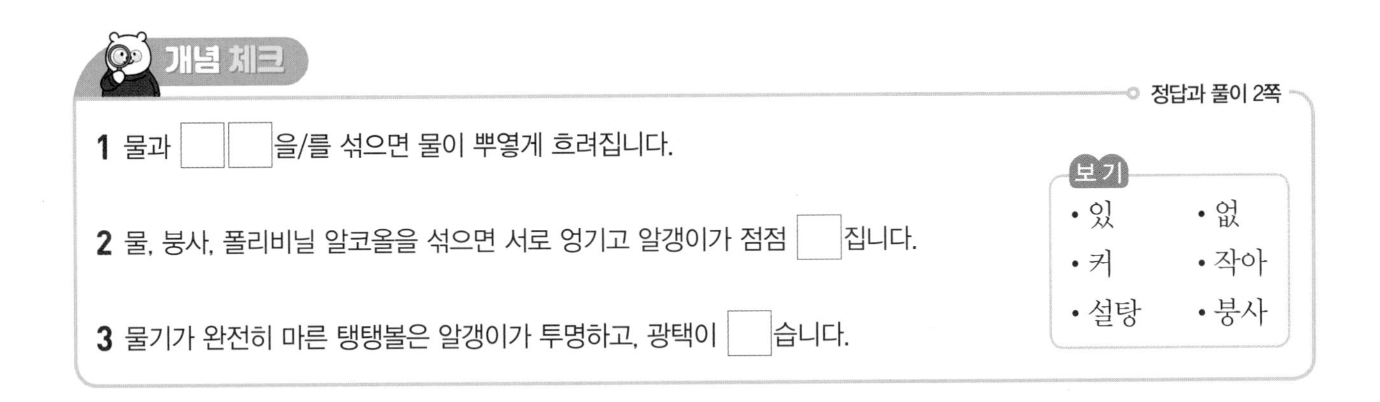

개념 체크

정답과 풀이 2쪽

1 물과 [ ][ ]을/를 섞으면 물이 뿌옇게 흐려집니다.

2 물, 붕사, 폴리비닐 알코올을 섞으면 서로 엉기고 알갱이가 점점 [ ]집니다.

3 물기가 완전히 마른 탱탱볼은 알갱이가 투명하고, 광택이 [ ]습니다.

보기
- 있
- 없
- 커
- 작아
- 설탕
- 붕사

개념 확인하기

정답과 풀이 2쪽

1 다음은 어떤 물질을 관찰한 내용인지 보기에서 골라 쓰시오.

• 손으로 만지면 깔깔합니다. • 하얀색이고 광택이 없습니다.

보기
물 붕사 탱탱볼 미숫가루 폴리비닐 알코올

( )

[2~3] 다음과 같이 물, 붕사, 폴리비닐 알코올을 섞어 탱탱볼을 만드는 실험을 하였습니다. 물음에 답하시오.

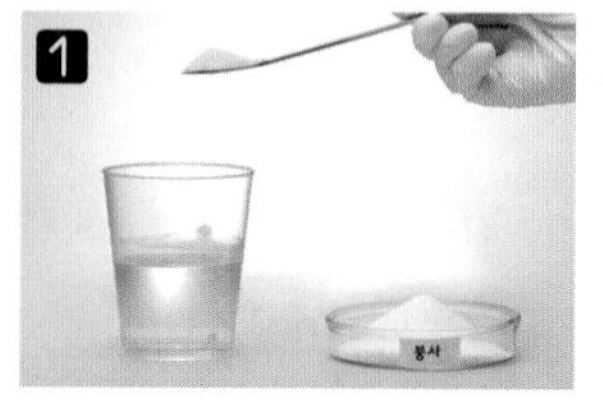

따뜻한 물에 붕사를 두 숟가락 넣고 젓기

1의 컵에 폴리비닐 알코올을 다섯 숟가락 넣고 젓기

엉긴 물질을 꺼내 주무르면서 탱탱볼을 만들기

2 다음 중 위의 과정 1~3 중 다음과 같은 현상이 나타나는 때를 쓰시오.

서로 엉기고 알갱이가 점점 커집니다.

( )

3 다음은 위의 과정 3에서 만들어진 탱탱볼을 관찰한 내용입니다. ( ) 안의 알맞은 말에 ○표를 하시오.

알갱이가 투명하고, (고무 / 유리) 같은 느낌이 들며, 바닥에 떨어뜨리면 잘 튀어 오릅니다.

▲ 탱탱볼

4 서로 다른 물질을 섞었을 때 물질의 성질 변화에 대한 설명으로 옳은 것을 다음 보기에서 골라 기호를 쓰시오.

보기
㉠ 항상 변합니다.
㉡ 항상 변하지 않습니다.
㉢ 변하는 경우도 있고 변하지 않는 경우도 있습니다.

( )

5 다음과 같이 서로 다른 물질을 섞는 경우 물질의 성질 변화의 결과가 나머지 넷과 다른 하나는 어느 것입니까? ( )

① 콩과 팥
② 설탕과 소금
③ 미숫가루와 설탕
④ 초콜릿가루와 설탕
⑤ 물과 붕사, 폴리비닐 알코올

똑똑한 하루 퀴즈

6 다음 □ 안에 들어갈 알맞은 낱말을 말 상자에서 찾아 모두 ○표를 하세요. 말 상자의 낱말은 가로, 세로, 대각선에 숨어 있어요.

폴	붕	사	알
리	소	☆	성
광	금	질	물
택	비	무	☆
설	☆	닐	탕

1. 물, □□, 폴리비닐 알코올을 섞으면 서로 엉기고 알갱이가 커짐.
2. 물기가 완전히 마른 탱탱볼은 알갱이가 투명하고 □□이 있음.
3. 서로 다른 물질을 섞었을 때 물질의 □□이 변하기도 함.

5일 1주 마무리하기

1 물체와 물질

물질마다 서로 다른 성질이 있어.

① **물질** : 물체를 만드는 재료

예 금속, 플라스틱, 나무, 고무, 밀가루, 유리, 종이, 섬유, 가죽 등

② **물질의 성질 알아보기**

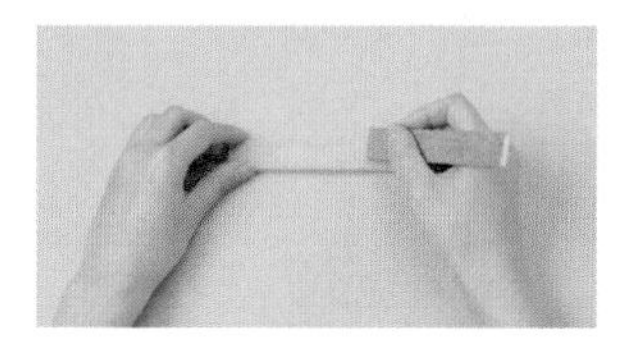

긁어 보기

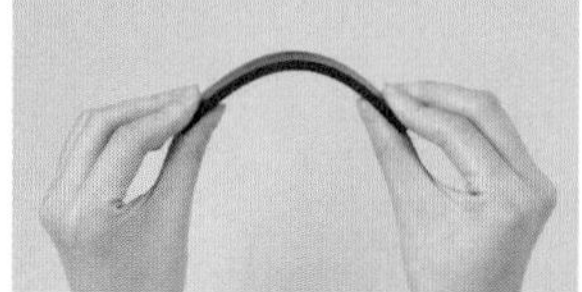

구부려 보기

물에 넣어 보기

금속
- 광택이 있음.
- 딱딱하고 무거움.
- 다른 물질보다 단단함.

나무
- 금속보다 가벼움.
- 고유한 향과 무늬가 있음.

플라스틱
- 금속보다 가벼움.
- 딱딱하고 부드러움.
- 다양한 색깔과 모양으로 만들기 쉬움.

고무
- 쉽게 구부러짐.
- 잘 미끄러지지 않음.
- 늘어났다가 다시 돌아옴.

2 물질의 성질 이용

물체의 각 부분의 기능에 따라 알맞은 물질을 골라서 사용해.

책상

쓰레받기

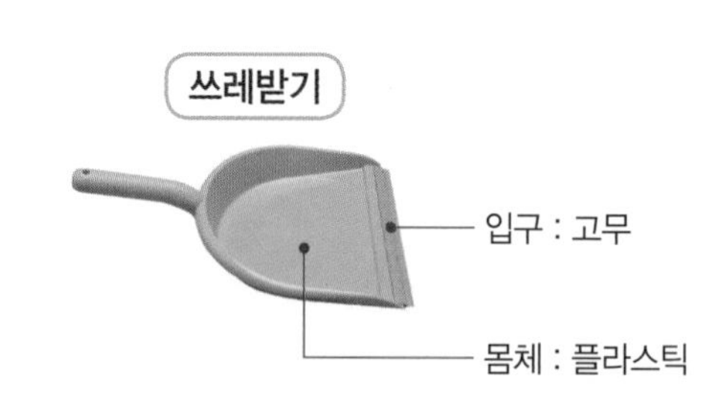

자전거

➡ 물체의 기능에 알맞은 물질을 선택하여 만듭니다.

3 서로 다른 물질로 만든 물체

① 종류가 같은 물체라도 그 물체를 이루고 있는 물질에 따라 좋은 점이 서로 다릅니다.
② 물체의 기능을 고려하여 상황에 알맞게 골라서 사용할 수 있습니다.

4 물질의 성질 변화

서로 다른 물질을 섞으면 물질의 성질이 변하는 것도 있고, 변하지 않는 것도 있어.

① 물, 붕사, 폴리비닐 알코올을 섞었을 때의 변화

섞은 물질	관찰한 내용
물과 붕사	물이 뿌옇게 흐려짐.
물, 붕사와 폴리비닐 알코올	서로 엉기고, 알갱이가 점점 커짐.

② 물기가 완전히 마른 탱탱볼 관찰하기

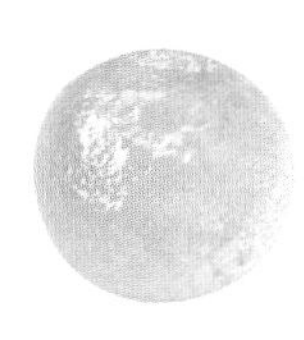

- 알갱이가 투명하고 광택이 있음.
- 말랑말랑하고 고무같은 느낌이 듦.
- 바닥에 떨어뜨리면 잘 튀어 오름.

③ 서로 다른 물질을 섞기 전과 섞은 후의 물질의 성질 : 서로 다른 물질을 섞으면 섞기 전에 각 물질이 가지고 있던 성질이 변하기도 합니다.

옥수수로 만든 플라스틱

플라스틱은 가벼우면서도 튼튼하고 다양한 색깔과 모양으로 만들어 사용할 수 있으므로 우리 생활 여러 곳에서 다양하게 사용됩니다. 하지만 플라스틱은 썩는 데 매우 오랜 시간이 걸리므로 플라스틱을 많이 사용할 경우 환경 오염 문제가 생깁니다. 따라서 최근에는 옥수수와 같은 곡물로 플라스틱을 만들어 활용하고 있습니다. 옥수수 이외에도 환경을 오염을 줄일 수 있고 사람이 먹을 수도 있는 원료로 다양한 플라스틱이 개발되고 있습니다.

1일 물체와 물질

1 다음 중 물체와 물질에 대한 설명으로 옳지 않은 것은 어느 것입니까? (   )

① 풍선은 고무로 만든 물체이다.
② 한 가지 물질로만 물체를 만든다.
③ 클립은 물체이고, 금속은 물질이다.
④ 물체를 만드는 재료를 물질이라고 한다.
⑤ 플라스틱과 나무가 가진 물질의 성질은 다르다.

2 다음과 같이 금속 막대와 고무 막대를 서로 긁어 보았더니 고무 막대만 깊게 파였습니다. 이 실험은 물질의 성질 중 무엇을 알아보기 위한 것인지 쓰시오.

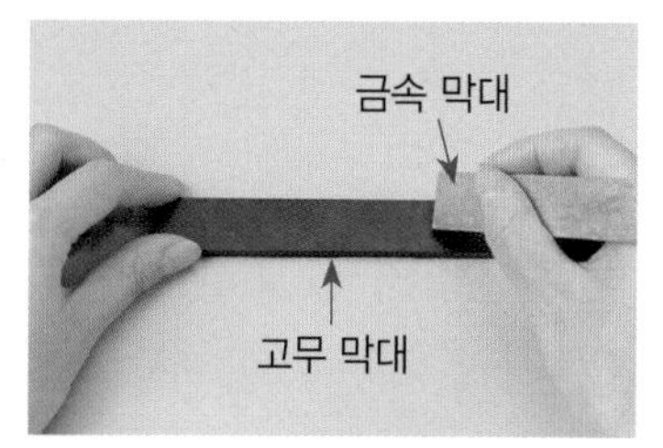

▲ 금속 막대로 고무 막대를 긁어 보기

▲ 고무 막대로 금속 막대를 긁어 보기

(   )

3 다음과 같은 성질이 있는 물질은 무엇인지 보기에서 골라 각각 쓰시오.

보기
금속 나무 플라스틱 고무 유리

(1) 고유한 향과 무늬가 있습니다. (   )
(2) 쉽게 구부러지고, 미끄러지지 않는 성질이 있습니다. (   )

빠른 정답 보기
정답과 풀이 3쪽

2일 물질의 성질 이용

4 다음 중 오른쪽 책상의 특징에 대한 설명으로 옳지 않은 것은 어느 것입니까? (   )

① 몸체는 금속으로 만들어 튼튼하다.
② 상판은 나무로 만들어 가볍고 단단하다.
③ 책상은 여러 가지 물질로 만들어진 물체이다.
④ 받침은 유리로 만들어 바닥이 긁히는 것을 줄여 준다.
⑤ 책상의 각 부분의 기능에 따라 알맞은 물질로 만들어졌다.

5 다음 자전거의 타이어를 이루고 있는 물질을 쓰시오.

(   )

6 자전거의 타이어를 위 **5**번 답과 같은 물질로 만들면 좋은 점을 쓰시오.

3일 서로 다른 물질로 만든 물체

7 다음은 서로 다른 물질로 만들어진 컵의 모습입니다. ㉠~㉣ 중 가볍고 단단하며, 다양한 모양과 색깔이 있는 컵을 골라 기호를 쓰시오.

▲ 금속 컵

▲ 유리컵

▲ 플라스틱 컵

▲ 도자기 컵

(　　　　　　　　)

8 종류가 같은 물체를 서로 다른 물질로 만드는 까닭에 대한 설명으로 옳은 것을 다음 보기에서 골라 기호를 쓰시오.

보기
㉠ 서로 다른 물질로 물체를 만들면 많이 만들 수 있기 때문입니다.
㉡ 서로 다른 물질로 물체를 만들면 값싸게 팔 수 있기 때문입니다.
㉢ 서로 다른 물질로 물체를 만들면 빠르게 만들 수 있기 때문입니다.
㉣ 그 물체를 이루고 있는 물질에 따라 좋은 점이 서로 다르기 때문입니다.

(　　　　　　　　)

4일 물질의 성질 변화

9 다음 중 폴리비닐 알코올을 관찰한 내용으로 옳은 것을 두 가지 고르시오.

(　　　,　　　)

① 투명하다.
② 노란색이다.
③ 광택이 없다.
④ 손으로 만지면 깔깔하다.
⑤ 알갱이의 크기가 붕사보다 크다.

[10~11] 다음과 같이 물, 붕사, 폴리비닐 알코올을 섞어 탱탱볼을 만드는 실험을 하였습니다. 물음에 답하시오.

> 과정 ❶ : 따뜻한 물에 붕사를 두 숟가락 넣고 젓기
> 과정 ❷ : ❶의 컵에 폴리비닐 알코올을 다섯 숟가락 넣고 젓기
> 과정 ❸ : 엉긴 물질을 꺼내 주무르면서 탱탱볼을 만들기

10 위의 과정 ❶에서 나타나는 현상은 어느 것입니까? (　　　　)

① 물이 투명해진다.
② 보글보글 거품이 난다.
③ 물이 뿌옇게 흐려진다.
④ 붕사 알갱이가 점점 커진다.
⑤ 아무런 변화가 없다.

11 위의 실험 결과 서로 다른 물질을 섞었을 때 알 수 있는 내용으로 옳은 것을 보기에서 골라 기호를 쓰시오.

> 보기
> ㉠ 섞기 전에 각 물질이 가지고 있던 성질이 변하기도 합니다.
> ㉡ 섞기 전에 각 물질이 가지고 있던 성질은 변하지 않습니다.

(　　　　　　　　　　)

12 다음 십자말풀이를 해 보세요.

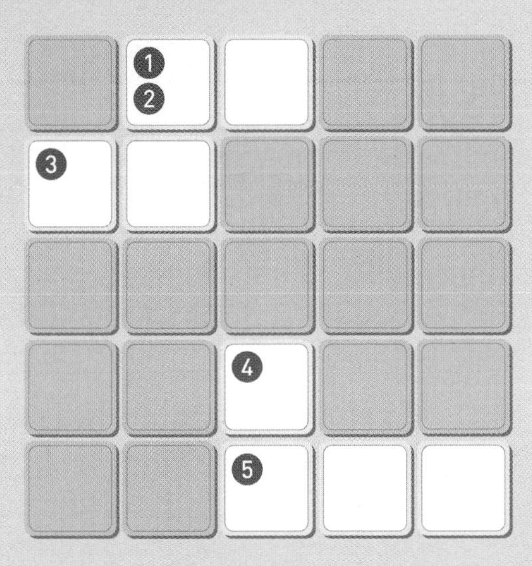

➔ 가로

❶ 모양이 있고 공간을 차지하고 있는 것
❸ 사물이나 현상이 가지고 있는 고유의 특성
❺ 흙으로 빚어서 높은 열로 구워 만든 그릇

➔ 세로

❷ 물체를 만드는 재료
❹ 쓰이는 길 또는 쓰이는 곳

1주 누구나 100점 TEST

맞은 개수 /10개

1 다음의 물체를 이루고 있는 물질을 보기 에서 골라 각각 기호를 쓰시오.

보기
㉠ 금속 ㉡ 고무
㉢ 나무 ㉣ 플라스틱

(1) 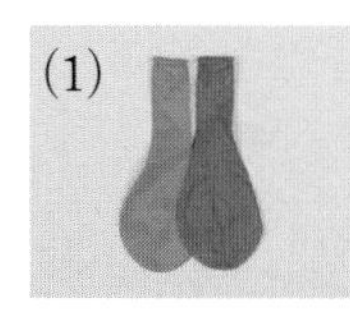
▲ 풍선

(2) 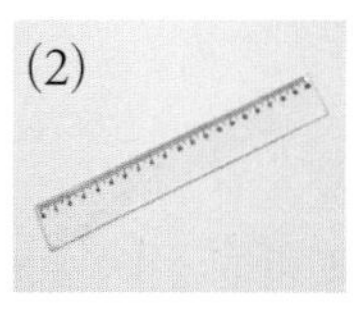
▲ 자

(3) 
▲ 열쇠

( ) ( ) ( )

2 다음 중 물질과 그 물질로 만들어진 물체를 잘못 짝지은 것은 어느 것입니까? ( )

① 유리 – 어항 ② 밀가루 – 빵
③ 고무 – 지우개 ④ 종이 – 책
⑤ 섬유 – 열쇠

3 다음과 같이 금속 막대, 나무 막대, 플라스틱 막대, 고무 막대를 서로 긁어보는 실험을 통하여 알 수 있는 사실은 어느 것입니까? ( )

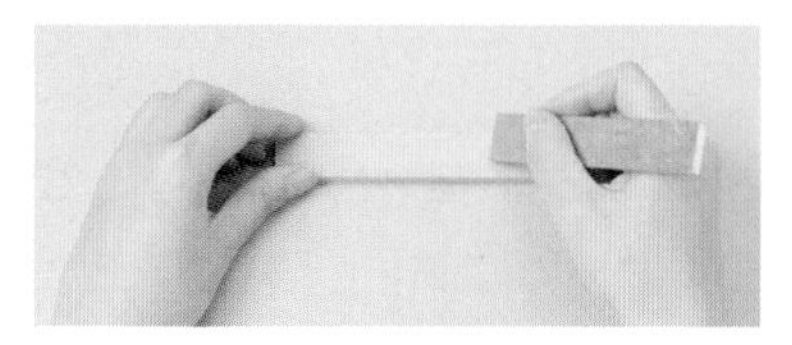
▲ 긁어 보기

① 나무는 금속보다 단단하다.
② 가장 단단한 물질은 금속이다.
③ 물에 잘 뜨는 물질은 플라스틱이다.
④ 가장 잘 휘어지는 물질은 고무이다.
⑤ 가장 덜 긁히는 물질은 나무 막대이다.

4 다음과 같은 성질을 지니고 있는 물질로 만들어진 장난감은 어느 것입니까? ( )

• 쉽게 구부러집니다.
• 늘어났다가 다시 돌아옵니다.

① 
▲ 금속

② 
▲ 나무

③ 
▲ 플라스틱

④ 
▲ 고무

5 다음과 같이 바구니를 플라스틱으로 만들면 좋은 점을 보기 에서 골라 기호를 쓰시오.

보기
㉠ 물에 가라앉습니다.
㉡ 미끄러지지 않습니다.
㉢ 가벼우면서도 튼튼합니다.

( )

6 다음 책상의 상판을 이루고 있는 물질과 그 물질로 만들었을 때의 좋은 점을 바르게 짝지은 것은 어느 것입니까? (　　　　)

① 나무 – 잘 휘어진다.
② 유리 – 매우 튼튼하다.
③ 가죽 – 부드럽고 매우 질기다.
④ 고무 – 잘 미끄러지지 않는다.
⑤ 나무 – 가벼우면서도 단단하다.

7 다음 자전거의 각 부분을 이루고 있는 물질을 잘못 짝지은 것은 어느 것입니까? (　　　　)

① 몸체 – 금속
② 체인 – 고무
③ 타이어 – 고무
④ 손잡이 – 고무나 플라스틱
⑤ 안장 – 가죽이나 플라스틱

8 다음과 같은 특징을 가진 장갑을 이루고 있는 물질은 어느 것입니까? (　　　　)

- 물이 들어오지 않습니다.
- 질기고 미끄러지지 않습니다.

① 털장갑　　② 면 장갑
③ 고무장갑　　④ 가죽 장갑
⑤ 비닐 장갑

[9~10] 다음과 같이 물, 붕사, 폴리비닐 알코올을 섞어 탱탱볼을 만드는 실험을 하였습니다. 물음에 답하시오.

1 : 따뜻한 물에 [㉠]을/를 두 숟가락 넣고 젓기
2 : **1**의 컵에 [㉡]을/를 다섯 숟가락 넣고 젓기
3 : 엉긴 물질을 꺼내 주무르면서 탱탱볼을 만들기

9 위의 실험 과정에서 ㉠, ㉡에 들어갈 알맞은 물질을 각각 쓰시오.

㉠ (　　　　　　　) ㉡ (　　　　　　　)

10 다음 중 위의 실험 결과에 대한 설명으로 옳지 않은 것은 어느 것입니까? (　　　　)

① 탱탱볼은 투명하다.
② 탱탱볼은 고무 같은 느낌이 든다.
③ 탱탱볼을 바닥에 튕기면 튀어 오른다.
④ 물, 붕사, 폴리비닐 알코올을 섞으면 서로 엉긴다.
⑤ 섞기 전과 섞은 후의 물질의 성질은 변하지 않는다.

창의·융합·코딩

1주 특강 생활 속 과학

물체의 기능에 따라 어떤 물질을 사용하면 좋을지 알아봅니다.

냄비에 사용된 여러 가지 물질

왜 플라스틱으로 만든 냄비는 없을까? 가벼워서 쓰기 편할 것 같은데……

냄비는 금속이나 도자기로 만들어요. 플라스틱은 열이 잘 전달되지 않아서 음식이 잘 익지 않아요. 또, 열을 가하면 금방 녹거나 타버리기 때문에 요리를 시작하기도 전에 냄비가 사라질 거예요.

냄비와 뚜껑의 손잡이는 뜨겁지 않아야 하므로 열이 잘 전달되지 않는 플라스틱같은 물질로 되어 있어요.

이렇게 서로 다른 성질의 물질을 사용하여 우리 생활에 유용하게 많이 이용해.

아. 그래서 펄펄 끓는 냄비도 손잡이를 들어 옮길 수 있구나.

정답과 풀이 4쪽

1 다음 만화를 읽고 세 친구들은 각각 어떤 물질로 된 그릇을 골라야 할지 찾아보세요.

정답

정우 : ☐ (으)로 만들어진 접시

나린 : ☐ (으)로 만들어진 국그릇

지훈 : ☐ (으)로 만들어진 도시락

창의·융합·코딩

1주 특강 사고 쑥쑥

물체를 같은 물질로 만들어진 것끼리 분류해 봅니다.

2 소예와 지훈이는 여러 가지 물체로 마구 어지럽혀진 방에 갇혔습니다. 이름이 쓰여진 13개의 물체를 같은 물질로 만들어진 것끼리 분류하여 물음의 답을 맞추어야 합니다. ❶~❸의 답을 순서대로 나열한 숫자는 방을 나갈 수 있는 비밀 번호입니다. 소예와 지훈이가 방을 나갈 수 있도록 도와주세요.

❶ 금속으로 만들어진 물체 수 : (　　　　　　　　)
❷ 고무로 만들어진 물체 수 : (　　　　　　　　)
❸ 분류한 물체의 총 물질 수 : (　　　　　　　　)

비밀 번호

단거리 육상 선수의 신발을 만들기 위해 필요한 물질을 알아봅니다.

3 수제화를 만드는 공장에 다음과 같은 신발을 만들어달라는 주문서가 도착했어요. 아래의 여러 가지 물체에 사용된 물질 중 어떤 물질을 사용해야 할지 골라보세요.

[주문서]

저는 단거리 육상 선수입니다. 다음의 조건에 맞는 신발을 만들어 주세요.

밑창은 매우 가볍고 단단한 물질이어야 합니다. 밑창이 물렁물렁하면 땅에 붙어 있는 시간이 길어져 불리하기 때문이죠. 또 땅바닥을 치고 나가는 데 도움이 되도록 바닥에는 단단하고 무거운 물질로 여러 개의 못을 박아주세요.

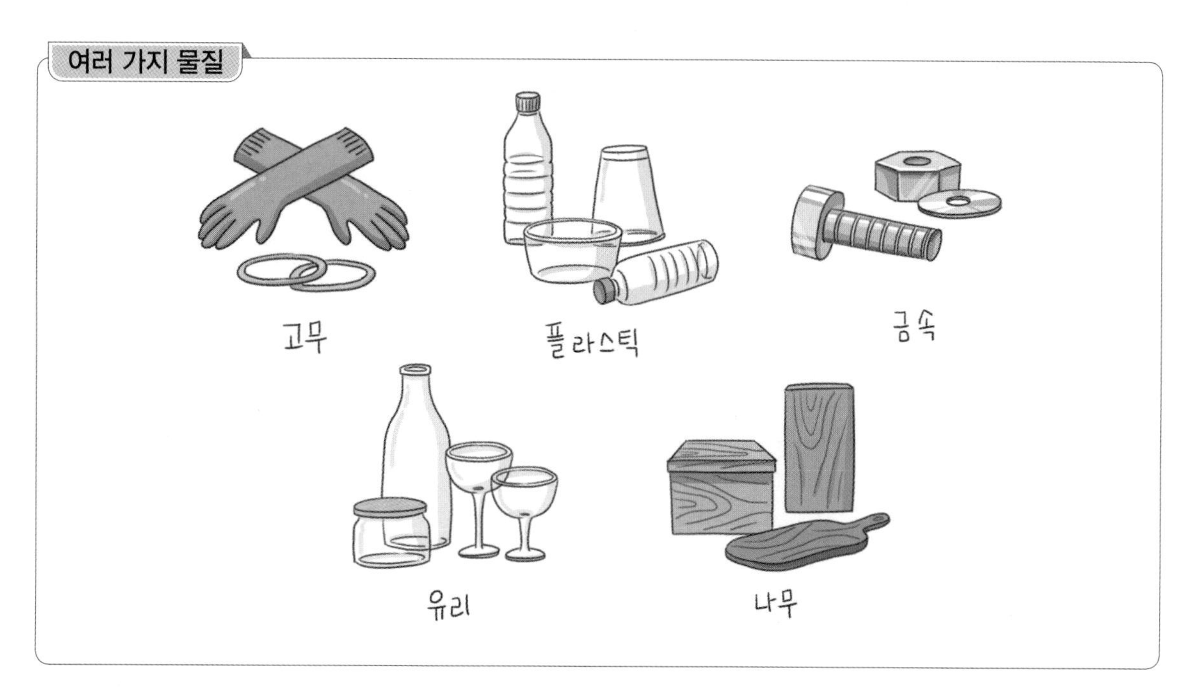

❶ 주문서의 신발 밑창을 만들 때 가장 적당한 물질을 골라 쓰시오.

( )

❷ 주문서의 신발 바닥에 박을 못으로 가장 적당한 물질을 골라 쓰시오.

( )

논리 탄탄

물질의 성질을 알아봅니다.

4 현태는 엄마 심부름으로 물건을 사러 나왔어요. '금속'에서 시작하여 오른쪽의 ❶번 내용부터 확인하며 움직여요. [실행 규칙]에 따라 ❶~❹번 모든 내용을 모두 확인했을 때 도착한 곳이 현태가 물건을 사러 간 곳이에요. 현태가 물건을 사러 간 곳은 어디인지 써 보세요.

[실행 규칙]

- 옳은 내용일 때 : → 오른쪽으로 1칸 이동
- 틀린 내용일 때 : ↓ 아래쪽으로 1칸 이동
- ☆ : ← 왼쪽으로 1칸 이동

정답

퍼즐에서 1주 핵심 용어를 찾아 지우고, 남은 글자를 조합해 봅니다.

5 다음 만화 속 빈칸에 들어갈 말을 퍼즐에서 지운 후, 남은 글자들을 순서대로 읽으면 오늘의 할 일이 무엇인지 알 수 있어요. 오늘의 할 일을 써 보세요.

2주 동물의 한살이

이번 주에는 무엇을 공부할까? 1

동물의 한살이

동물의 암수

생김새

사자

역할

가시고기

동물에 따라 암수의 생김새와 역할이 달라.

알을 낳는 동물

곤충

나비

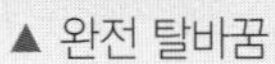
▲ 완전 탈바꿈

잠자리

▲ 불완전 탈바꿈

새끼를 낳는 동물

개

동물에 따라 한살이 과정도 다르지!

동물이 태어나서 성장하여 자손을 남기는 한살이는 동물마다 다르다는 것 꼭 기억해!

핵심 용어

2주 이번 주에는 무엇을 공부할까? ❷

갈기

뜻 **말이나 사자 등의 목덜미에 난 긴 털**

예 동물원에서 **갈기**가 있는 수사자가 사육사에게 먹이를 받아먹는 모습을 봤어요.

동물의 한살이

뜻 **동물이 태어나서 성장하여 자손을 남기는 과정**

예 동물은 **한살이**를 거치는 동안 어릴 때와 다 자랄 때의 모습이 많이 달라지는 것이 있어요.

부화

孵 化
알깔 부 될 화

뜻 **동물의 알에서 애벌레나 새끼가 알껍데기를 뚫고 밖으로 나오는 것**

예 수탉과 짝짓기를 한 암탉은 알을 낳고 품어서 알을 **부화**시켜요.

날개돋이

뜻 **번데기에서 날개가 있는 어른벌레가 나오는 것**

예 **날개돋이**를 하여 나비 번데기에서 나온 어른벌레는 젖어 있던 날개를 말려야 하늘을 날 수 있어요.

동물의 한살이와 관련된 다양한 용어가 있어.
특히 완전 탈바꿈, 불완전 탈바꿈 등의 용어는 꼭 기억해.

곤충

昆 蟲

벌레 곤 벌레 충

나는 곤충인 잠자리야.

뜻 **몸이 머리, 가슴, 배 세 부분으로 되어 있고 다리가 세 쌍인 동물**

예 농약을 많이 사용하면 꿀벌, 나비와 같은 이로운 **곤충**도 피해를 입게 돼요.

완전 탈바꿈

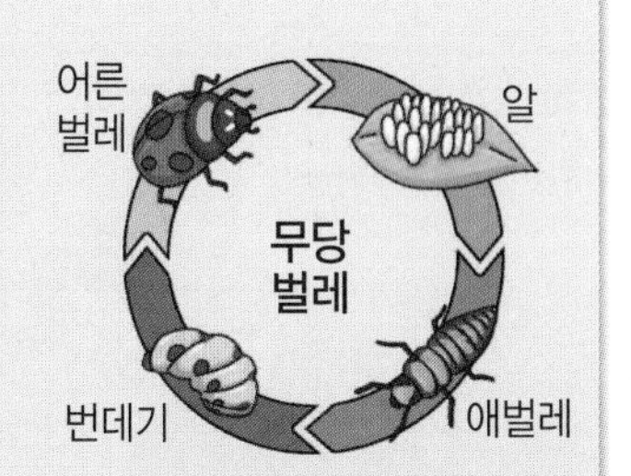

뜻 **곤충의 한살이에서 번데기 단계를 거치는 것**

예 **완전 탈바꿈**을 하는 곤충은 애벌레와 어른벌레의 모습이 많이 달라요.

곤충 중에는 날개가 있는 것도 있고 없는 것도 있어.

불완전 탈바꿈

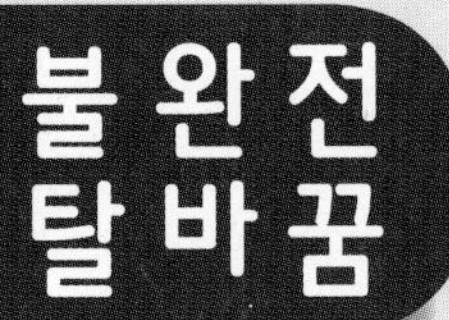

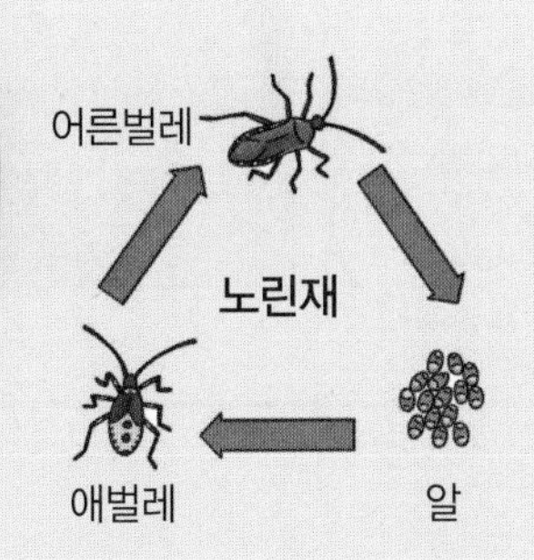

뜻 **곤충의 한살이에서 번데기 단계를 거치지 않는 것**

예 **불완전 탈바꿈**을 하는 곤충은 애벌레에서 바로 어른벌레가 돼요.

1일 동물의 암수

타르 얼굴에 갈기가?

용어 체크

갈기

말이나 사자 등의 목덜미에 난 긴 털

예 제주도에서는 ❶ [ ] 를 휘날리며 들판을 달려가는 말을 많이 볼 수 있다.

▲ 말

정답 ❶ 갈기

가시고기의 가시 맛 좀 봐라!

용어 체크

가시고기

등 쪽에 가시가 나 있으며 암컷이 알을 낳으면 수컷이 알이나 새끼를 돌보는 물고기

예 가시고기 ❶ [ ] 은 알을 돌보는 과정에서 잘 먹지도 않고 열심히 알을 돌본다.

정답 ❶ 수컷

1일 개념 익히기

1 암수가 쉽게 구별되는 동물을 알아볼까?

사슴은 뿔이 없는 것이 ❶(암컷 / 수컷)입니다.

2 암수가 쉽게 구별되지 않는 동물을 알아볼까?

무당벌레는 암수의 생김새가 ❷(달라서 / 비슷해서) 암수가 쉽게 구별되지 않습니다.

3 알이나 새끼를 돌볼 때 암수가 하는 역할을 알아볼까?

제비
암수가 함께 알과 새끼를 돌봄.

곰
암컷이 새끼를 돌봄.

가시고기
수컷이 알을 돌봄.

거북
암수 모두 알을 돌보지 않음.

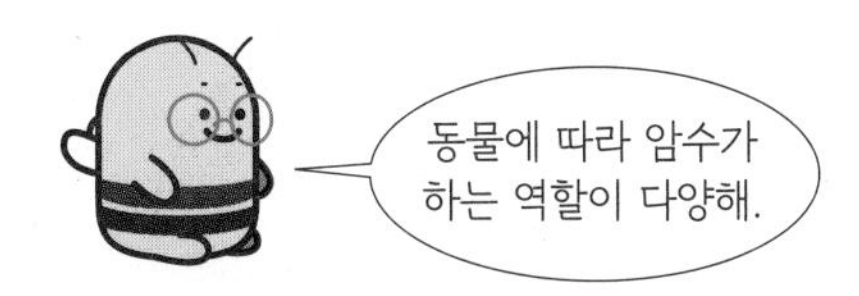

알이나 새끼를 돌볼 때 동물에 따라 암수가 하는 역할이 ③(다양합니다 / 같습니다).

정답 ❶ 암컷 ❷ 비슷해서 ❸ 다양합니다

개념 체크

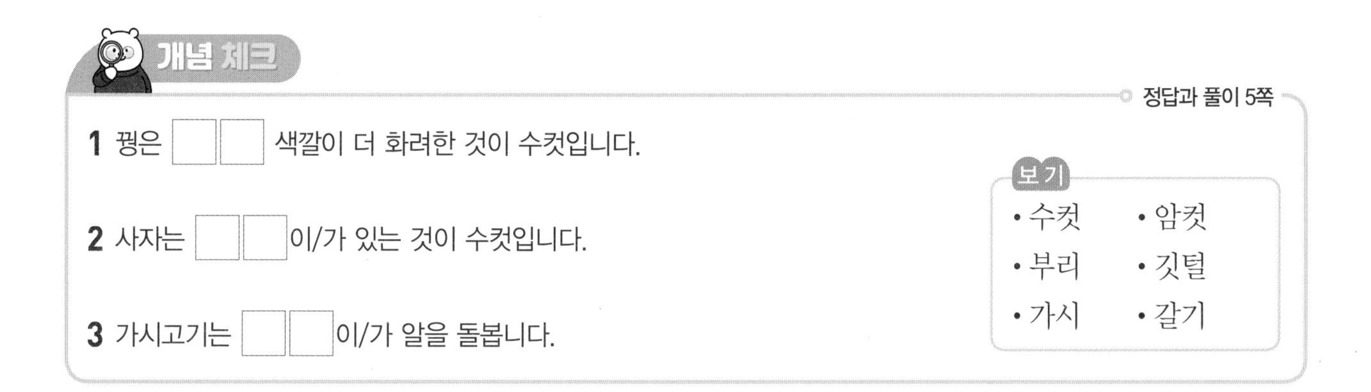

정답과 풀이 5쪽

1 꿩은 ☐☐ 색깔이 더 화려한 것이 수컷입니다.

2 사자는 ☐☐ 이/가 있는 것이 수컷입니다.

3 가시고기는 ☐☐ 이/가 알을 돌봅니다.

보기
- 수컷
- 암컷
- 부리
- 깃털
- 가시
- 갈기

개념 확인하기

정답과 풀이 5쪽

1 오른쪽은 원앙의 암컷과 수컷의 모습입니다. 암컷의 기호를 쓰시오.

( )

2 다음을 사자의 암컷과 수컷의 특징에 맞게 줄로 바르게 이으시오.

(1) 암컷 • • ㉠ 갈기가 없음.

(2) 수컷 • • ㉡ 갈기가 있음.

3 다음 중 암수가 쉽게 구별되지 않는 동물을 두 가지 고르시오. (,)

▲ 붕어

▲ 사슴

▲ 꿩

▲ 참새

4 다음 중 알이나 새끼를 돌볼 때 동물의 암수가 하는 역할을 바르게 말한 친구의 이름을 쓰시오.

재석 : 모든 동물은 암컷이 알이나 새끼를 돌봐.
기영 : 모든 동물은 암컷과 수컷이 함께 알이나 새끼를 돌봐.
민요 : 동물에 따라 알이나 새끼를 돌볼 때 암수가 하는 역할이 달라.

( )

5 다음 중 암수가 함께 알이나 새끼를 돌보는 동물의 기호를 쓰시오.

㉠ 

▲ 곰

㉡ 
▲ 제비

㉢ 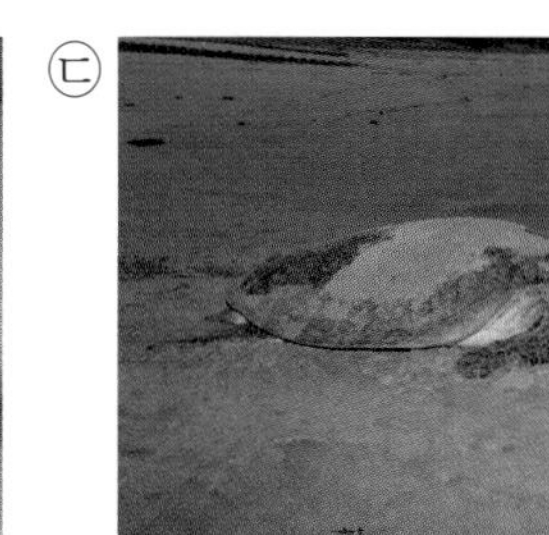
▲ 거북

( )

6 다음 중 가시고기가 알을 돌볼 때 암수가 하는 역할로 옳은 것은 어느 것입니까? ( )

① 암컷이 혼자서 알을 돌본다.
② 수컷이 혼자서 알을 돌본다.
③ 암컷과 수컷이 함께 알을 돌본다.
④ 암컷과 수컷이 번갈아 알을 돌본다.
⑤ 암컷과 수컷 모두 알을 돌보지 않는다.

똑똑한 **하루 퀴즈**

7 다음 □ 안에 들어갈 알맞은 낱말을 말 상자에서 찾아 모두 ○표를 하세요. 말 상자의 낱말은 가로, 세로, 대각선에 숨어 있어요.

정	★	뿔	공
신	갈	난	생
★	증	기	김
반	수	★	새
암	컷	트	장

1. 사자는 □□의 있고 없음으로 암수를 구별할 수 있음.
2. 꿩은 깃털 색깔이 더 화려한 것이 □□임.
3. 암수의 □□□가 비슷한 동물은 암수가 쉽게 구별되지 않음.
4. 곰은 □□이 새끼를 돌봄.

2일 배추흰나비의 한살이

동물은 한살이를 거쳐!

용어 체크

동물의 한살이

동물이 태어나서 성장하여 자손을 남기는 과정

예 동물은 한살이 과정을 거쳐 알이나 ❶ ____ 를 낳아 대를 이어 간다.

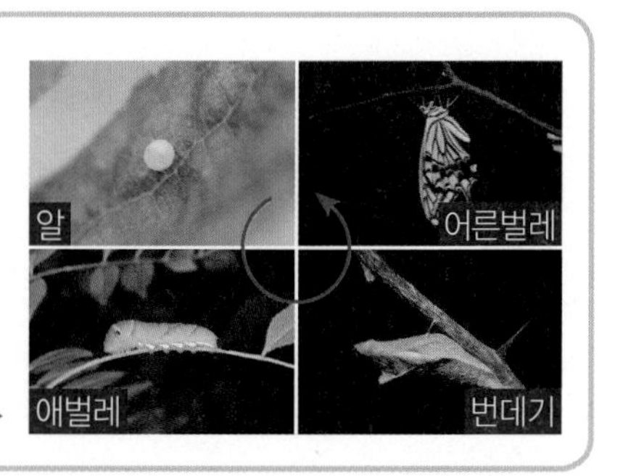

호랑나비의 한살이 ▶

정답 ❶ 새끼

집행관이 알에서 부화한 애벌레에게 찔렸어!

용어 체크

부화

동물의 알에서 애벌레나 새끼가 알껍데기를 뚫고 밖으로 나오는 것

예 봄이 되자 개구리 알이  ❶ ☐ 하여 올챙이가 나왔다.

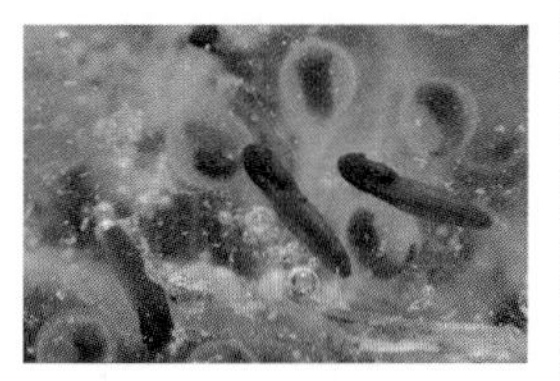
▲ 알에서 부화한 올챙이

정답 ❶ 부화

2일 개념 익히기

1 배추흰나비알과 애벌레의 특징을 알아볼까?

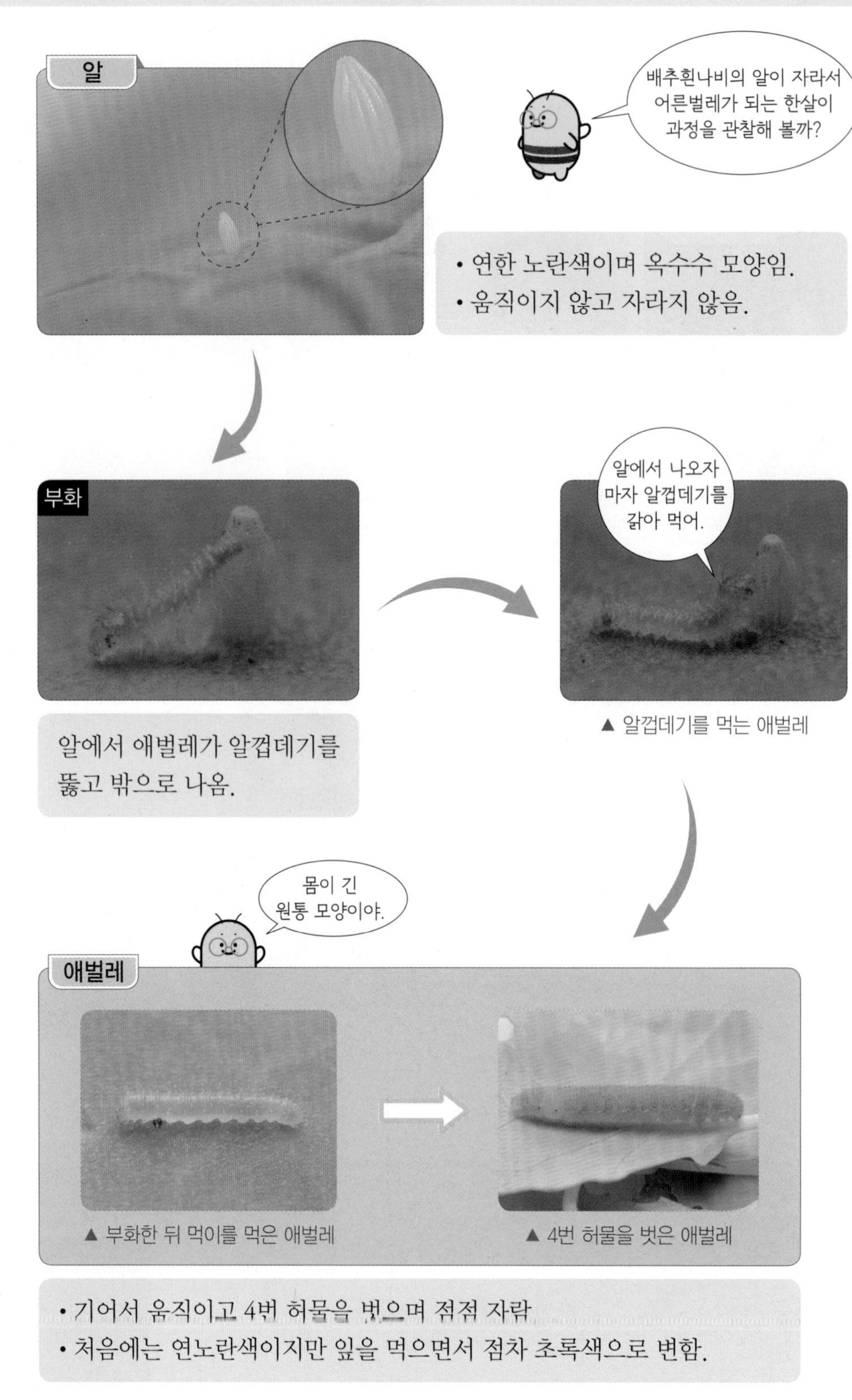

▲ 알껍데기를 먹는 애벌레

▲ 부화한 뒤 먹이를 먹은 애벌레

▲ 4번 허물을 벗은 애벌레

배추흰나비알에서는 알껍데기를 깨고 ❶(애벌레 / 번데기)가 나옵니다.

2 배추흰나비 번데기와 어른벌레의 특징을 알아볼까?

번데기

- 주변 색깔과 비슷함.
- 움직이지 않고 자라지 않음.

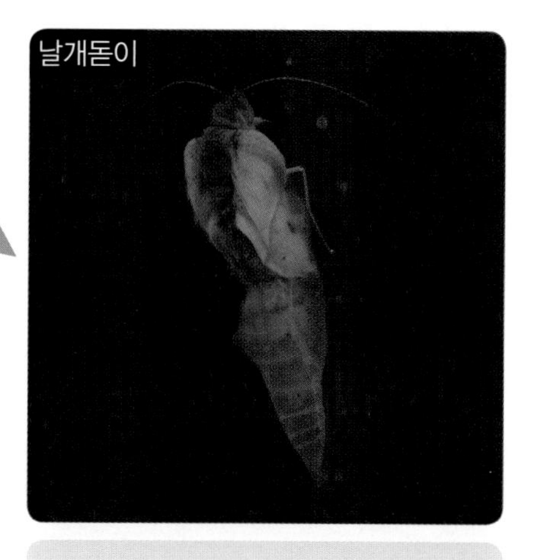

시간이 지나면 번데기 껍질이 벌어지면서 어른벌레가 나옴.

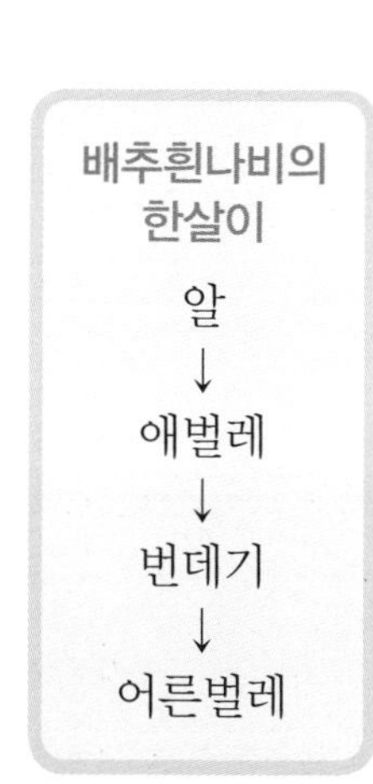

어른벌레

- 날개를 움직여 날아다님.
- 날개 두 쌍, 다리 세 쌍이 있음.
- 몸이 머리, 가슴, 배 세 부분으로 되어 있음.

배추흰나비 번데기 껍질이 벌어지면서 ❷(애벌레 / 어른벌레)가 나옵니다.

정답 ❶ 애벌레 ❷ 어른벌레

개념 체크

정답과 풀이 5쪽

1 배추흰나비알은 연한 ☐☐☐입니다.

2 배추흰나비 애벌레는 ☐☐을/를 벗으며 자랍니다.

3 배추흰나비 애벌레는 자라서 ☐☐☐이/가 됩니다.

보기
- 허물
- 솜털
- 초록색
- 노란색
- 껍데기
- 번데기

2일 개념 확인하기

○ 정답과 풀이 5쪽 빠른 정답 보기

1 다음 보기에서 배추흰나비알의 생김새와 가장 비슷한 열매를 골라 기호를 쓰시오.

보기
㉠ 포도 ㉡ 사과 ㉢ 수박 ㉣ 옥수수

( )

2 다음 중 배추흰나비알에 대한 설명으로 옳은 것을 두 가지 고르시오. (,)

① 자라지 않는다.
② 허물을 벗는다.
③ 기어서 움직인다.
④ 움직이지 않는다.
⑤ 긴 원통 모양이다.

3 오른쪽과 같이 배추흰나비알에서 애벌레가 알껍데기를 뚫고 밖으로 나오는 것을 무엇이라고 하는지 쓰시오.

( )

4 다음 중 위 **3**번과 같이 알껍데기에서 나온 애벌레가 가장 처음 먹는 것은 어느 것입니까? ( )

① 물
② 흙
③ 잎
④ 알껍데기
⑤ 애벌레의 털

5 다음 중 배추흰나비의 한살이 과정으로 옳은 것은 어느 것입니까? (　　　)

① 알 → 번데기 → 애벌레 → 어른벌레
② 알 → 애벌레 → 번데기 → 어른벌레
③ 알 → 어른벌레 → 번데기 → 애벌레
④ 알 → 번데기 → 어른벌레 → 애벌레
⑤ 알 → 애벌레 → 어른벌레 → 번데기

집중 연습 문제 배추흰나비의 번데기와 어른벌레

6 오른쪽 배추흰나비의 번데기에서 시간이 지나면 무엇이 나오는지 쓰시오.

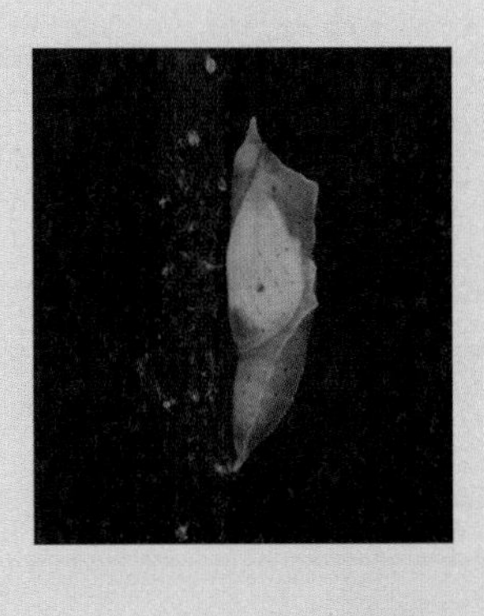

(　　　　　　　　　　)

7 다음을 배추흰나비의 번데기와 어른벌레에 대한 설명에 맞게 줄로 바르게 이으시오.

(1) 번데기 •
(2) 어른벌레 •

• ㉠ 날아다님.
• ㉡ 먹이를 먹지 않음.
• ㉢ 날개가 두 쌍 있음.
• ㉣ 움직이지 않음.

3일 곤충의 한살이

집행관을 침으로 쏜 게 곤충이라고?

 용어 체크

곤충

몸이 머리, 가슴, 배 세 부분으로 되어 있고 다리가 세 쌍인 동물

예 여름 방학에 할머니댁에 가서 매미, 메뚜기, 나비 등과 같은 ❶ [　　　] 채집을 했다.

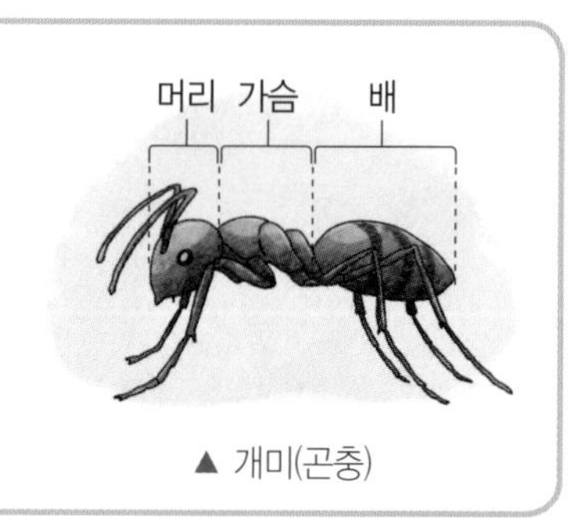

▲ 개미(곤충)

정답 ❶ 곤충

타르의 잘난 척은 못 말려!

용어 체크

완전 탈바꿈
곤충의 한살이에서 번데기 단계를 거치는 것

예 사슴벌레는 완전 ❶ [ ] 을 한다.

불완전 탈바꿈
곤충의 한살이에서 번데기 단계를 거치지 않는 것

예 잠자리와 사마귀는 ❷ [ ] 탈바꿈을 한다.

정답 ❶ 탈바꿈 ❷ 불완전

3일 개념 익히기

1 곤충이란 무엇일까?

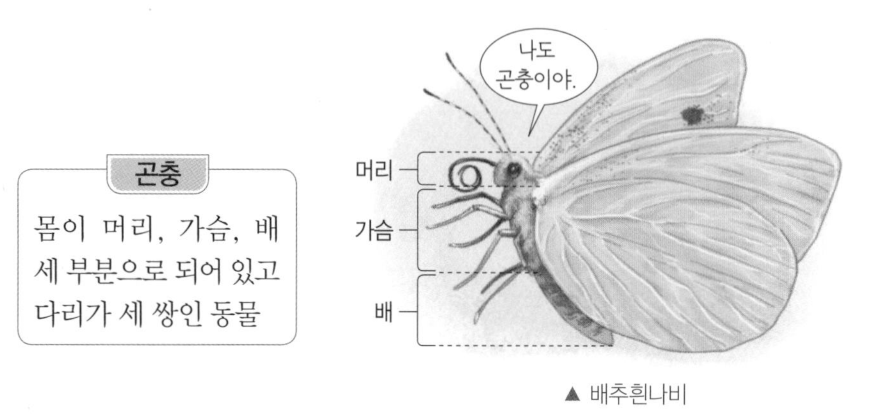

▲ 배추흰나비

곤충은 다리가 ❶(두 / 세) 쌍이 있습니다.

2 완전 탈바꿈이란 무엇일까?

완전 탈바꿈 | 곤충의 한살이에서 번데기 단계를 거치는 것

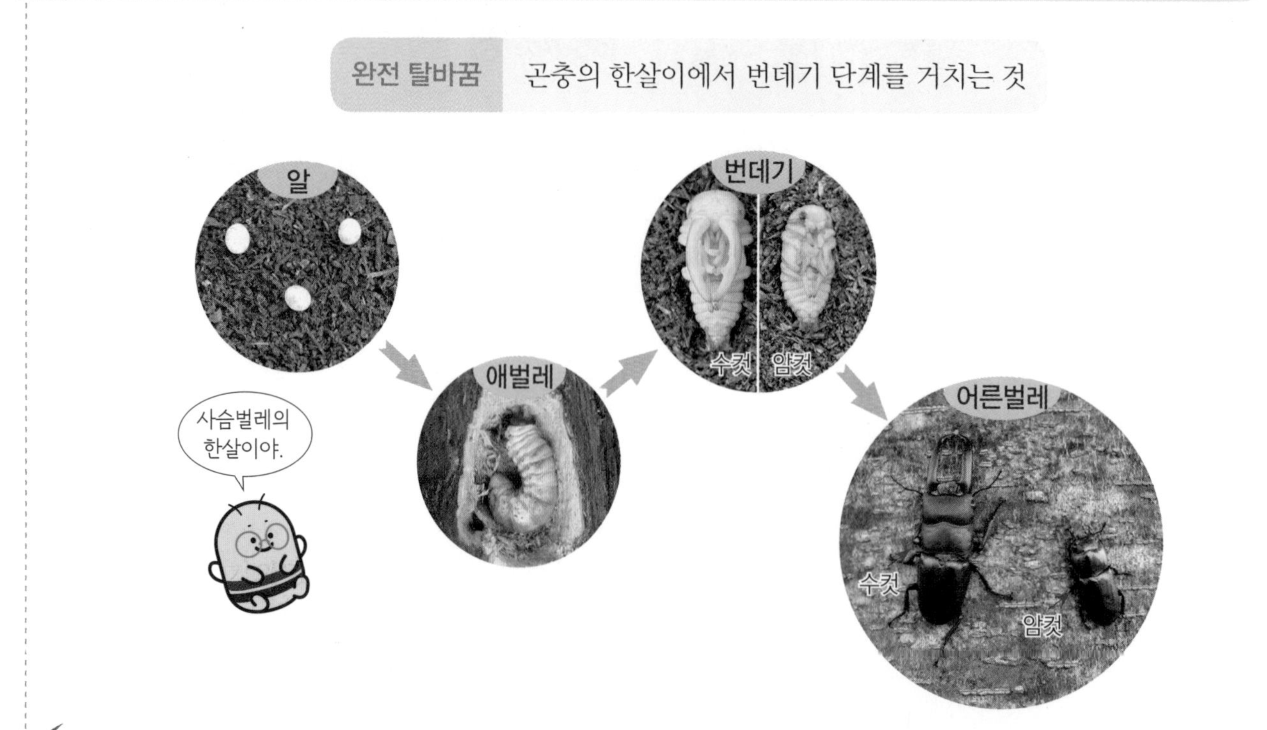

완전 탈바꿈은 곤충의 한살이에서 번데기 단계를 ❷(거치는 / 거치지 않는) 것입니다.

3 불완전 탈바꿈이란 무엇일까?

불완전 탈바꿈	곤충의 한살이에서 번데기 단계를 거치지 않는 것

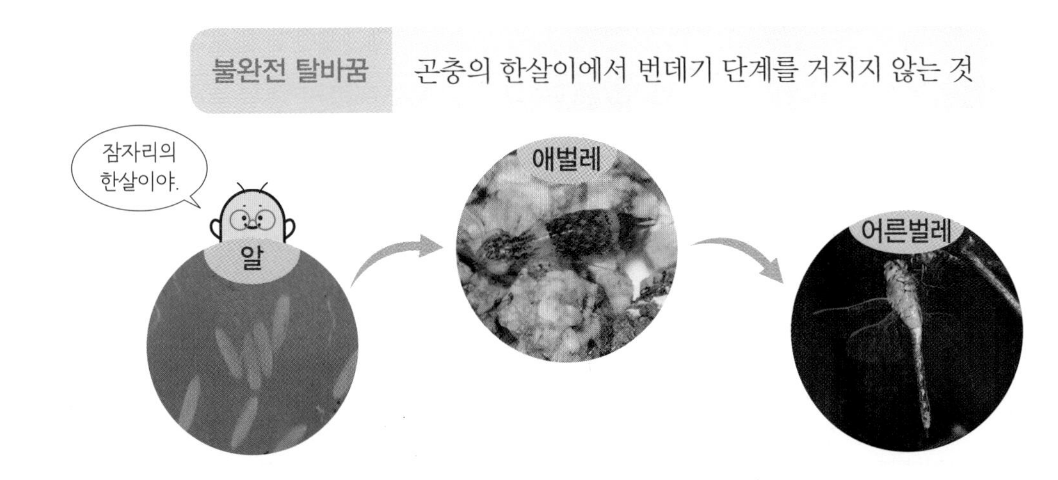

✔ 불완전 탈바꿈을 하는 곤충은 애벌레에서 바로 ③(번데기 / 어른벌레)가 됩니다.

4 완전 탈바꿈과 불완전 탈바꿈을 하는 곤충에는 무엇이 있을까?

✔ 개미는 ④(완전 / 불완전) 탈바꿈을 하는 곤충입니다.

정답 ❶ 세 ❷ 거치는 ❸ 어른벌레 ❹ 완전

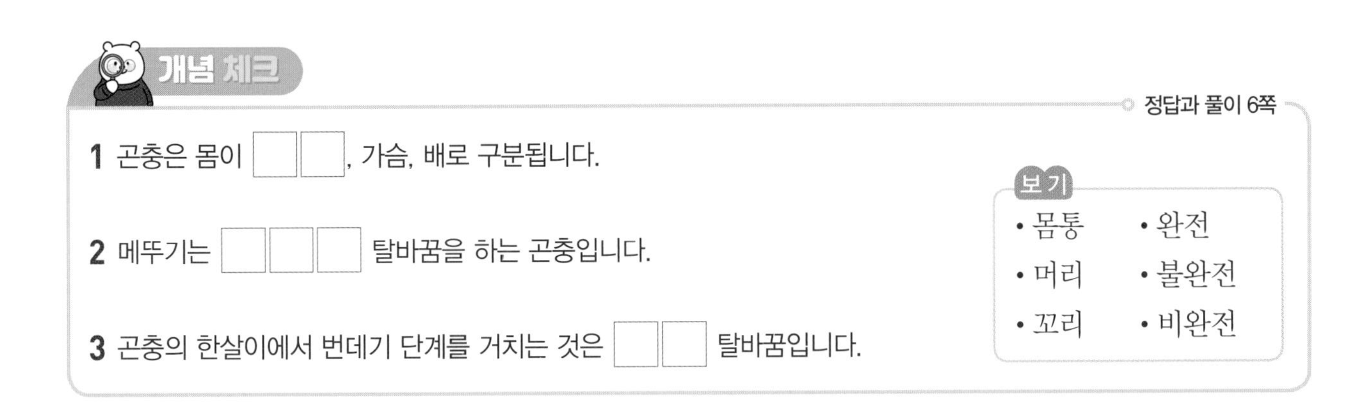

개념 체크

정답과 풀이 6쪽

1 곤충은 몸이 □□, 가슴, 배로 구분됩니다.

2 메뚜기는 □□□ 탈바꿈을 하는 곤충입니다.

3 곤충의 한살이에서 번데기 단계를 거치는 것은 □□ 탈바꿈입니다.

보기
- 몸통
- 머리
- 꼬리
- 완전
- 불완전
- 비완전

3일 개념 확인하기

○ 정답과 풀이 6쪽

1 다음 중 곤충은 다리가 몇 쌍 있습니까? (   )

① 없다. ② 한 쌍 ③ 두 쌍
④ 세 쌍 ⑤ 네 쌍

2 다음은 배추흰나비 몸을 세 부분으로 나눈 모습입니다. (   ) 안에 들어갈 부분의 이름을 쓰시오.

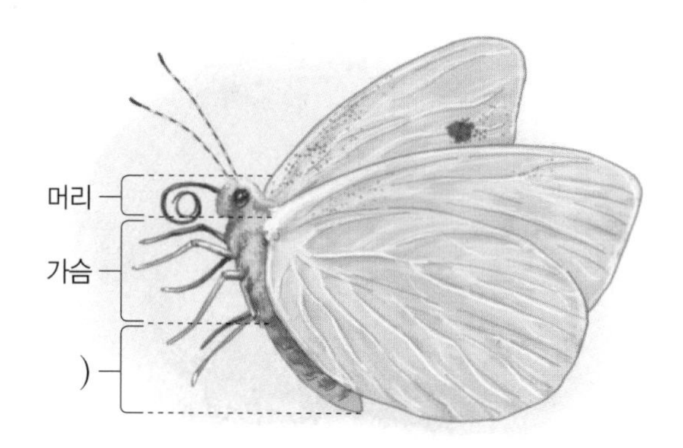

3 다음 중 사슴벌레의 한살이에 대한 설명으로 옳은 것은 어느 것입니까? (   )

① 번데기 단계가 있다.
② 애벌레 단계가 없다.
③ 번데기에서 알이 나온다.
④ 알에서 바로 번데기가 된다.
⑤ 애벌레에서 바로 어른벌레가 된다.

4 다음 보기에서 완전 탈바꿈에는 있지만 불완전 탈바꿈에는 없는 단계를 골라 기호를 쓰시오.

보기
㉠ 알 ㉡ 애벌레 ㉢ 번데기 ㉣ 어른벌레

(   )

5 다음을 잠자리의 한살이 과정에 맞게 순서대로 기호를 쓰시오.

(　　　　　　) → (　　　　　　) → (　　　　　　)

6 다음 중 불완전 탈바꿈을 하는 곤충은 어느 것입니까? (　　　)

▲ 나비　▲ 사마귀　▲ 무당벌레　▲ 개미

똑똑한 하루 퀴즈

7 다음 □ 안에 들어갈 알맞은 낱말을 말 상자에서 찾아 모두 ○표를 하세요. 말 상자의 낱말은 가로, 세로, 대각선에 숨어 있어요.

쌍	거	지	애
곤	미	★	벌
★	충	발	레
불	완	전	기
상	★	실	록

1. 몸이 머리, 가슴, 배의 세 부분으로 되어 있고 다리가 세 쌍인 동물을 □□이라고 함.
2. 곤충의 한살이에서 번데기 단계를 거치지 않는 것. □□□ 탈바꿈
3. 무당벌레는 알 → □□□ → 번데기 → 어른벌레의 한살이 과정을 거침.

4일 여러 가지 동물의 한살이

암탉은 볏과 꽁지깃이 작고, 알을 낳아!

용어 체크

볏

닭이나 꿩 등의 머리에 세로로 붙은 톱니 모양의 붉은 살 조각

예 닭이 ❶ [ ] 을 세우며 싸우려고 달려들었다.

꽁지깃

새의 꽁무니에 있는 기다란 깃털

예 공작 수컷이 ❷ [ ] 을 활짝 펼치며 언덕을 내려왔다.

정답 ❶ 볏 ❷ 꽁지깃

개는 짝짓기를 하면 무엇을 낳아?

용어 체크

짝짓기

동물의 암수가 짝을 이루거나, 짝이 이루어지게 하는 일

예 피라미는 ❶ ______ 전에 수컷의 몸 색깔이 변한다.

▲ 짝짓기 전 피라미 수컷

정답 ❶ 짝짓기

4일 개념 익히기

1 닭의 한살이를 알아볼까?

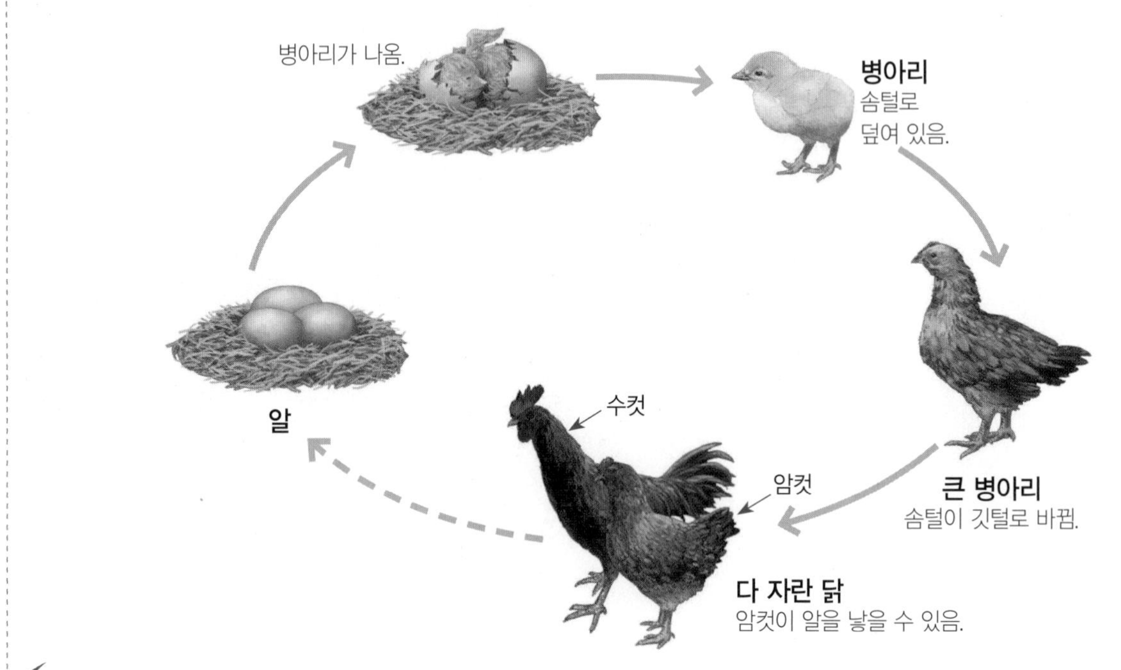

닭은 알 → [1](병아리 / 올챙이) → 큰 병아리 → 다 자란 닭 순서로 자랍니다.

2 알을 낳는 동물의 한살이의 특징은 무엇일까?

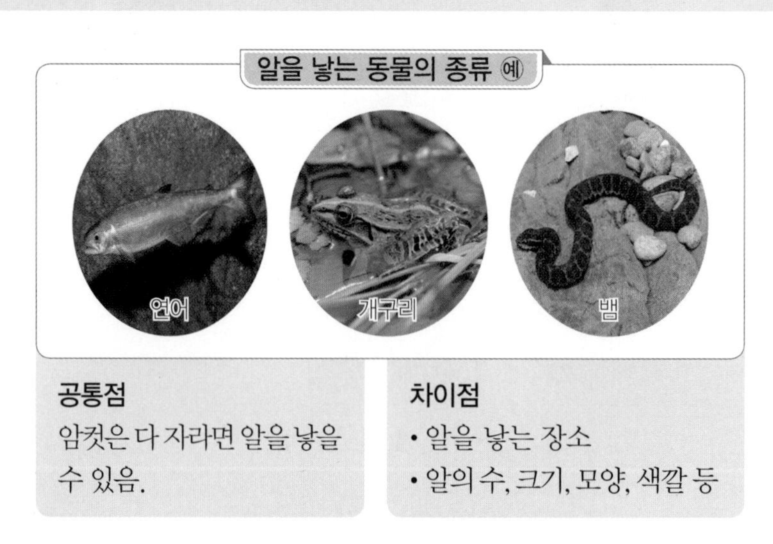

공통점
암컷은 다 자라면 알을 낳을 수 있음.

차이점
- 알을 낳는 장소
- 알의 수, 크기, 모양, 색깔 등

알을 낳는 동물은 다 자라면 그중 [2](수컷 / 암컷)이 알을 낳습니다.

3 개의 한살이를 알아볼까?

갓 태어난 강아지
어미젖을 먹으며 자람.

큰 강아지
먹이를 씹어 먹기 시작함.

다 자란 개
짝짓기를 하여 암컷이 새끼를 낳음.

갓 태어난 강아지는 ❸(어미젖 / 먹이)을/를 먹으며 자랍니다.

4 새끼를 낳는 동물의 한살이의 특징은 무엇일까?

새끼를 낳는 동물의 종류 예

공통점	차이점
다 자라면 암수가 짝짓기를 하여 암컷이 새끼를 낳음.	• 한 번에 낳는 새끼 수 • 새끼가 자라는 기간 등

새끼를 낳는 동물은 동물에 따라 한번에 낳는 새끼 수가 ❹(같습 / 다릅)니다.

정답 ❶ 병아리 ❷ 암컷 ❸ 어미젖 ❹ 다릅

개념 체크

정답과 풀이 6쪽

1 알에서 깨어난 병아리는 □□(으)로 덮여 있습니다.

2 다 자란 개는 짝짓기를 하여 □□이/가 새끼를 낳습니다.

3 말은 □□을/를 낳는 동물입니다.

보기
• 솜털 • 깃털
• 새끼 • 갈기
• 수컷 • 암컷

4일 개념 확인하기

○ 정답과 풀이 6쪽 빠른 정답 보기

1 오른쪽은 다 자란 닭의 모습입니다. 이 중 알을 낳을 수 있는 것의 기호를 쓰시오.

(　　　　　　　　)

2 다음 중 알을 낳는 동물의 한살이의 공통점으로 옳은 것은 어느 것입니까? (　　　　)

① 알의 모양이 같다.
② 알을 낳는 수가 같다.
③ 알을 낳는 장소가 같다.
④ 다 자라면 암컷이 알을 낳을 수 있다.
⑤ 다 자라면 수컷이 알을 낳을 수 있다.

3 다음은 개의 한살이를 나타낸 것입니다. 어미젖을 먹고 자라는 때의 기호를 쓰시오.

㉠

▲ 갓 태어난 강아지

㉡

▲ 큰 강아지

㉢

▲ 다 자란 개

(　　　　　　　　)

4 다음 중 새끼를 낳는 동물은 어느 것입니까? (   )

① 
▲ 뱀

② 
▲ 연어

③ 
▲ 개구리

④ 
▲ 고양이

집중 연습 문제 닭의 한살이

5 오른쪽은 닭의 알이 부화하는 모습입니다. 알껍데기를 깨고 나오는 것은 무엇인지 쓰시오.

(   )

6 다음 중 닭의 한살이를 순서에 맞게 바르게 나타낸 것은 어느 것입니까? (   )

① 알 → 병아리 → 큰 병아리 → 다 자란 닭
② 알 → 다 자란 닭 → 병아리 → 큰 병아리
③ 알 → 병아리 → 다 자란 닭 → 큰 병아리
④ 새끼 → 병아리 → 큰 병아리 → 다 자란 닭
⑤ 새끼 → 다 자란 닭 → 큰 병아리 → 병아리

닭은 ☐을 낳는 동물이야.

5일 2주 마무리하기

1 동물의 암수

① 암수에 따른 생김새

암수가 쉽게 구별되지 않는 동물은 암수의 생김새가 비슷해.

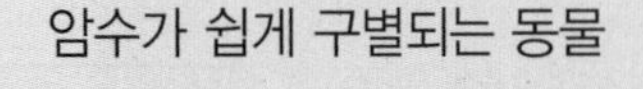 암수가 쉽게 구별되는 동물	• **사슴** : 수컷만 뿔이 있음. • **사자** : 수컷만 갈기가 있음. • **원앙** : 수컷의 몸 색깔이 더 화려함. • **꿩** : 수컷의 깃털 색깔이 더 화려함.
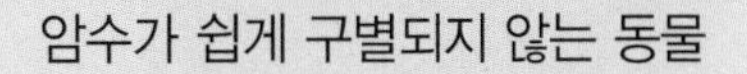 암수가 쉽게 구별되지 않는 동물	참새, 붕어, 무당벌레 등

② 알이나 새끼를 돌볼 때 암수의 역할

제비	곰	가시고기	거북
암수가 함께 돌봄.	암컷이 돌봄.	수컷이 돌봄.	암수 모두 돌보지 않음.

2 배추흰나비의 한살이

① **동물의 한살이** : 동물이 태어나서 성장하여 자손을 남기는 과정

② **배추흰나비의 한살이** : 알 → 애벌레 → 번데기 → 어른벌레

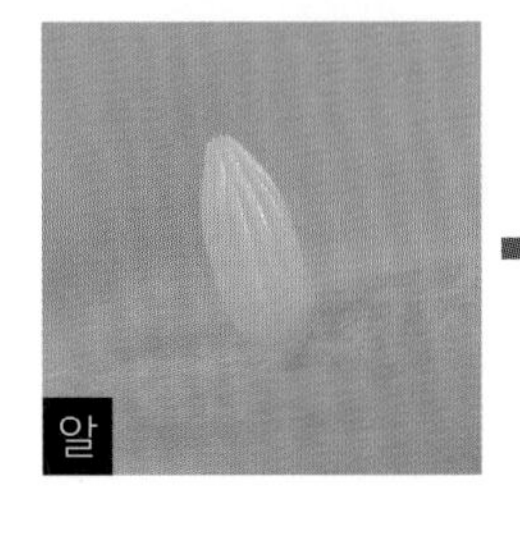
알

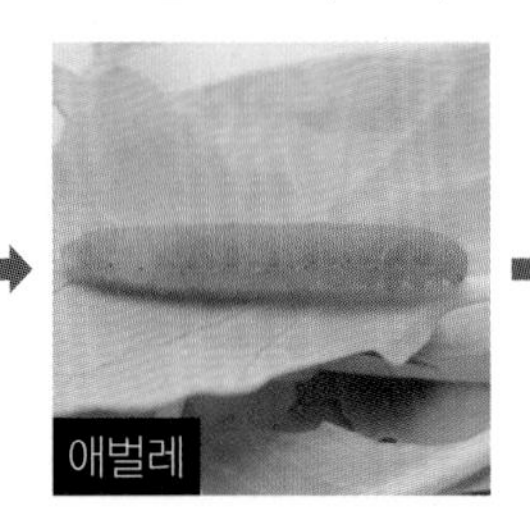
애벌레

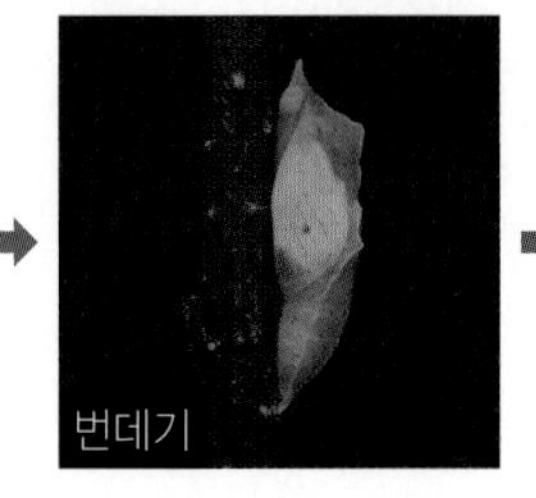
번데기

어른벌레

3 곤충의 한살이

곤충은 몸이 머리, 가슴, 배 세 부분으로 되어 있고 다리가 세 쌍인 동물이야.

완전 탈바꿈	• 뜻 : 곤충의 한살이에서 번데기 단계를 거치는 것 • 한살이 과정 : 알 → 애벌레 → 번데기 → 어른벌레 • 곤충의 예 : 사슴벌레, 나비, 무당벌레, 개미 등
불완전 탈바꿈	• 뜻 : 곤충의 한살이에서 번데기 단계를 거치지 않는 것 • 한살이 과정 : 알 → 애벌레 → 어른벌레 • 곤충의 예 : 잠자리, 사마귀, 메뚜기, 노린재 등

4 여러 가지 동물의 한살이

① **알을 낳는 동물의 한살이(예 닭)** : 알에서 부화한 병아리는 모이를 먹고 자라면서 솜털이 깃털로 바뀌며, 다 자라면 암컷이 알을 낳을 수 있습니다.

알 병아리 큰 병아리 다 자란 닭

② **새끼를 낳는 동물의 한살이(예 개)** : 강아지는 어미젖을 먹고 자라며, 이빨이 나면 먹이를 씹어 먹고, 다 자라면 짝짓기를 하여 암컷이 새끼를 낳습니다.

새끼를 낳는 동물은 새끼와 어미의 모습이 비슷해.

갓 태어난 강아지 큰 강아지 다 자란 개

애벌레가 자신의 몸을 지키는 방법

애벌레는 작고 약해서 다른 동물에게 잡아먹히기 쉽습니다. 그래서 애벌레는 다른 동물의 먹잇감이 되는 것을 피하기 위해 다양한 방법을 이용한답니다.

▲ 자나방 애벌레

자나방 애벌레는 몸을 나뭇가지와 비슷한 모양으로 만들어 다른 동물의 눈을 피합니다. 몸 색깔뿐만 아니라 모양도 나뭇가지와 비슷해 다른 동물의 눈에 쉽게 띄지 않아요.

▲ 호랑나비 애벌레

또 호랑나비 애벌레처럼 고약한 냄새를 내뿜어 먹는 것을 포기하게 할 수도 있지요. 호랑나비 애벌레는 머리에서 냄새가 나는 노란 뿔을 튀어나오게 하여 적을 물리칩니다.

5일 2주 마무리하기

1일 동물의 암수

1 다음은 사자의 암수의 모습입니다. 각각 암컷과 수컷 중 무엇인지 구분하여 쓰시오.

㉠ 

(   )

㉡ 

(   )

2 다음 중 암수가 쉽게 구별되는 동물의 기호를 쓰시오.

㉠ 

▲ 무당벌레

㉡ 

▲ 원앙

㉢ 

▲ 붕어

(   )

3 다음 중 암수 모두 알이나 새끼를 돌보지 <u>않는</u> 동물은 어느 것입니까? (   )

① 

▲ 가시고기

② 

▲ 곰

③ 

▲ 거북

④ 

▲ 제비

정답과 풀이 6쪽

빠른 정답 보기

2일 배추흰나비의 한살이

2주

4 다음 중 동물이 태어나서 성장하여 자손을 남기는 과정을 무엇이라고 합니까? (　　　　)

① 동물의 자람　② 동물의 번식　③ 동물의 부화
④ 동물의 암수　⑤ 동물의 한살이

5 다음 보기에서 배추흰나비 애벌레에 대한 설명으로 옳지 않은 것을 골라 기호를 쓰시오.

보기

㉠ 옥수수 모양입니다.　㉡ 기어서 움직입니다.
㉢ 긴 원통 모양입니다.　㉣ 허물을 벗으며 자랍니다.

(　　　　　　　　)

6 다음 중 배추흰나비 번데기에 대한 설명으로 옳은 것은 어느 것입니까? (　　　　)

① 잎을 먹는다.　② 허물을 벗는다.
③ 움직이지 않는다.　④ 알껍데기를 먹는다.
⑤ 날개를 움직여 날아다닌다.

7 다음은 배추흰나비의 한살이 과정을 나타낸 것입니다. (　　) 안에 알맞은 말을 쓰시오.

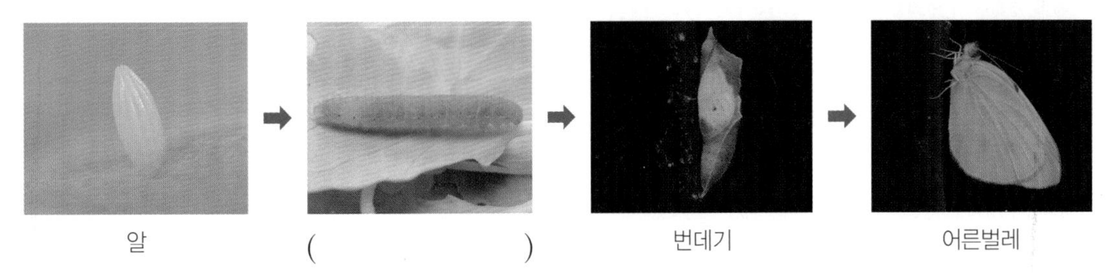

알 → (　　　　　) → 번데기 → 어른벌레

3일 곤충의 한살이

8 다음 보기에서 몸이 머리, 가슴, 배 세 부분으로 되어 있고 다리가 세 쌍인 동물을 뜻하는 말을 골라 기호를 쓰시오.

보기

㉠ 새　㉡ 곤충　㉢ 공룡　㉣ 물고기

(　　　　　　　　)

9 다음 곤충의 한살이 과정 중 완전 탈바꿈에서만 거치는 단계는 어느 것입니까? (　　　　)

① 알　② 부화　③ 애벌레
④ 번데기　⑤ 어른벌레

서술형

10 오른쪽의 메뚜기는 어떤 한살이 과정을 거치는지 쓰시오.

____

____

4일 여러 가지 동물의 한살이

11 다음 중 알을 낳는 동물은 어느 것입니까? (　　　　)

① 소　② 개　③ 말
④ 연어　⑤ 고양이

12 다음 닭의 한살이 과정 중 솜털로 덮여 있는 병아리의 모습은 어느 것입니까? (　　　　)

① ② ③  ④ 

13 다음은 새끼를 낳는 동물의 한살이에 대한 설명입니다. □ 안에 들어갈 알맞은 말을 쓰시오.

> 동물마다 한 번에 낳는 새끼의 수, 새끼가 자라는 기간 등이 다르지만, 공통적으로 다 자란 동물은 암수가 짝짓기를 하여 [　　　]이/가 새끼를 낳습니다.

(　　　　　　　　　)

똑똑한 하루 퀴즈

14 다음 십자말풀이를 해 보세요.

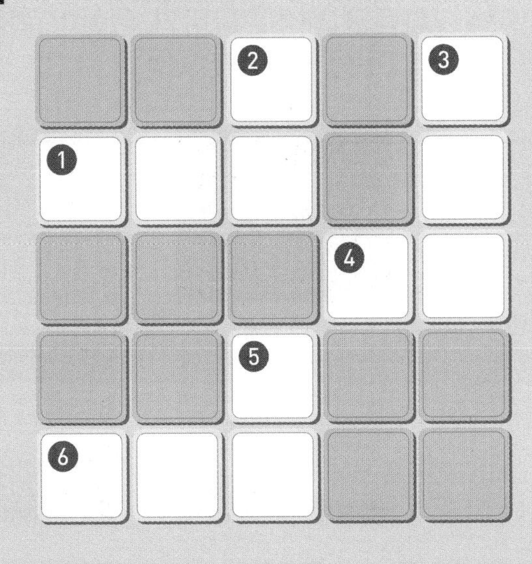

가로

1. 배추흰나비 애벌레는 □□□가 됨.
4. 사슴벌레는 □□ 탈바꿈을 함.
6. 암탉이 낳은 알이 부화하면 나오는 것

세로

2. 사자 수컷의 목덜미에 난 긴 털
3. 곤충의 한살이에서 번데기 단계를 거치지 않는 것을 □□□ 탈바꿈이라고 함.
5. 곤충은 □□가 세 쌍이 있음.

2주 누구나 100점 TEST

맞은 개수 /10개

1 다음의 동물 사진을 보고 수컷인 것에 ○표를 하시오.

(1) ㉠  ( )

㉡  ( )

(2) ㉠ ㉡ 

( ) ( )

2 다음을 알이나 새끼를 돌볼 때 암수가 하는 역할에 맞게 줄로 바르게 이으시오.

(1) 곰	•	• ㉠	암수 모두 돌보지 않음.
(2) 거북	•	• ㉡	수컷이 돌봄.
(3) 제비	•	• ㉢	암컷이 돌봄.
(4) 가시고기	•	• ㉣	암수가 함께 돌봄.

3 다음은 배추흰나비의 애벌레와 번데기 중 무엇에 대한 설명인지 쓰시오.

- 긴 원통 모양입니다.
- 자유롭게 기어서 움직입니다.
- 허물을 벗으며 점점 자랍니다.

( )

4 다음 중 배추흰나비 어른벌레에는 날개가 몇 쌍 있습니까? ( )

① 한 쌍　② 두 쌍
③ 세 쌍　④ 네 쌍
⑤ 날개가 없다.

5 다음을 배추흰나비의 한살이 과정에 맞게 순서대로 기호를 쓰시오.

㉠ 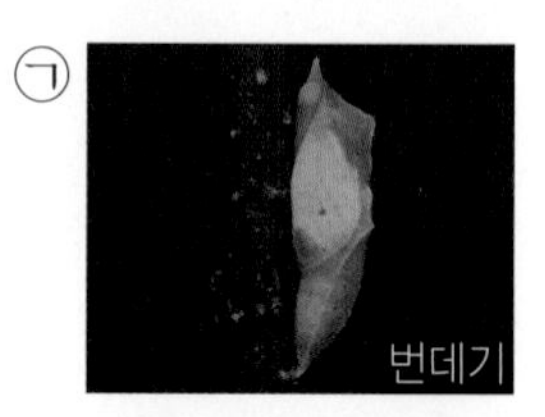

㉡ 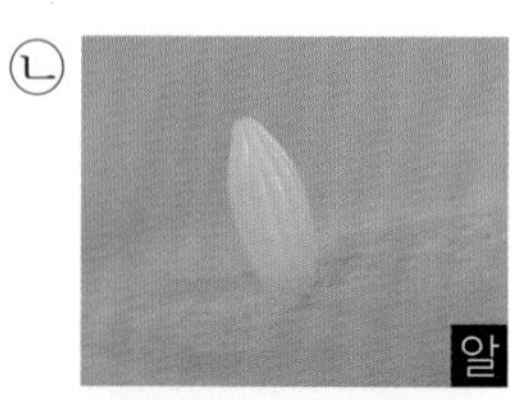

㉢ 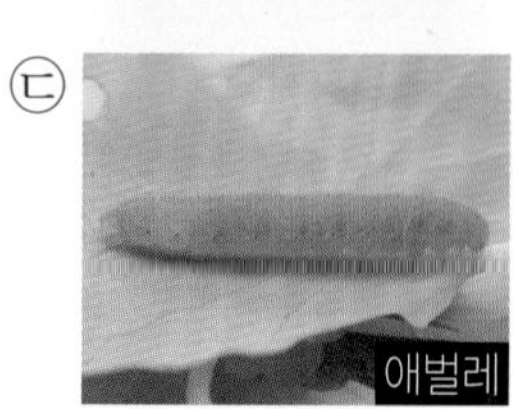

㉣ 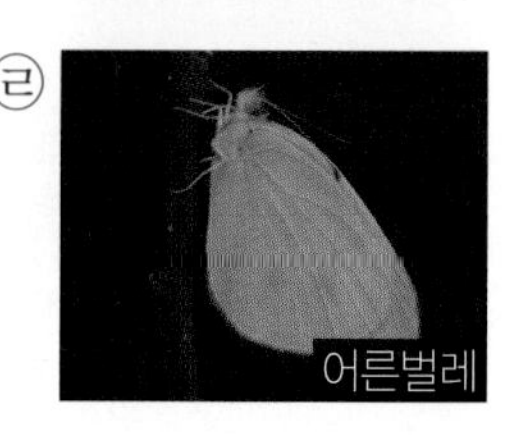

( ) → ( ) → ( ) → ( )

6 다음 중 곤충에 대한 설명으로 옳은 것을 두 가지 고르시오. (　　　,　　　)

① 다리가 없다.
② 다리가 세 쌍이다.
③ 잠자리는 곤충이다.
④ 몸이 네 부분으로 되어 있다.
⑤ 몸이 머리, 몸통으로 되어 있다.

7 다음은 곤충의 한살이에 대한 설명입니다. □ 안에 공통으로 들어갈 알맞은 말을 쓰시오.

> 곤충의 한살이에서 □ 단계를 거치는 것은 완전 탈바꿈, □ 단계를 거치지 않는 것은 불완전 탈바꿈이라고 합니다.

(　　　　　　　　)

8 다음 중 불완전 탈바꿈을 하는 곤충의 기호를 쓰시오.

㉠ 
▲ 무당벌레

㉡ 
▲ 노린재

(　　　　　　　　)

9 다음 중 병아리와 닭에 대한 설명으로 옳은 것에는 ○표, 옳지 않은 것에는 ×표를 하시오.

(1) 병아리는 어미젖을 먹고 자랍니다. (　　)

(2) 다 자란 닭은 수컷이 알을 낳습니다. (　　)

(3) 병아리는 몸이 솜털로 덮여 있습니다. (　　)

(4) 다 자란 닭은 몸이 깃털로 덮여 있습니다. (　　)

10 다음을 알을 낳는 동물과 새끼를 낳는 동물에 맞게 줄로 바르게 이으시오.

(1) 알을 낳는 동물 •

(2) 새끼를 낳는 동물 •

• ㉠ 

• ㉡ 

• ㉢ 

• ㉣ 

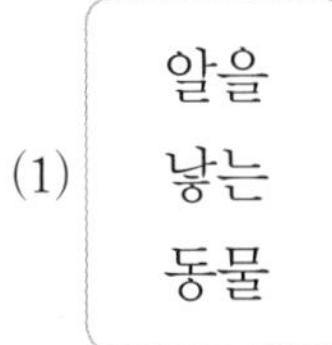

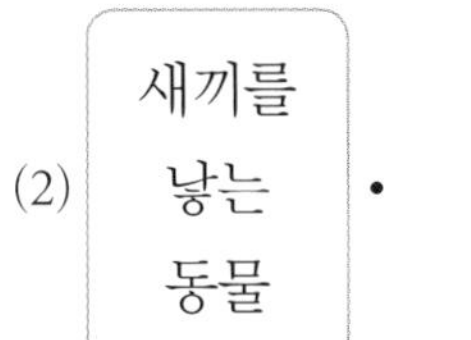

창의·융합·코딩

2주 특강 생활 속 과학

곤충의 특징을 알아보고 거미가 곤충이 아닌 까닭을 살펴봅니다.

거미는 왜 곤충이 아닐까?

정답과 풀이 8쪽

1 나비가 꿀을 찾아 꽃밭에 가려면 거미줄을 탈출해야 해요. 나비가 꽃밭에 무사히 도착할 수 있도록 길을 찾아 선을 그어 주세요. (단, 거미줄 출구에 곤충이 지키고 있는 곳은 빠져나갈 수 있지만 곤충이 아닌 것이 지키는 곳은 빠져나갈 수 없어요.)

사고 쑥쑥

동물의 암수에 따른 생김새와 역할에 대해 알아봅니다.

2 동물의 암수에 따른 생김새와 역할에 대한 설명으로 옳은 곳만 따라가야 강을 무사히 건널 수 있어요. 도희가 강을 잘 건널 수 있게 선을 그어 길을 찾아 주세요.

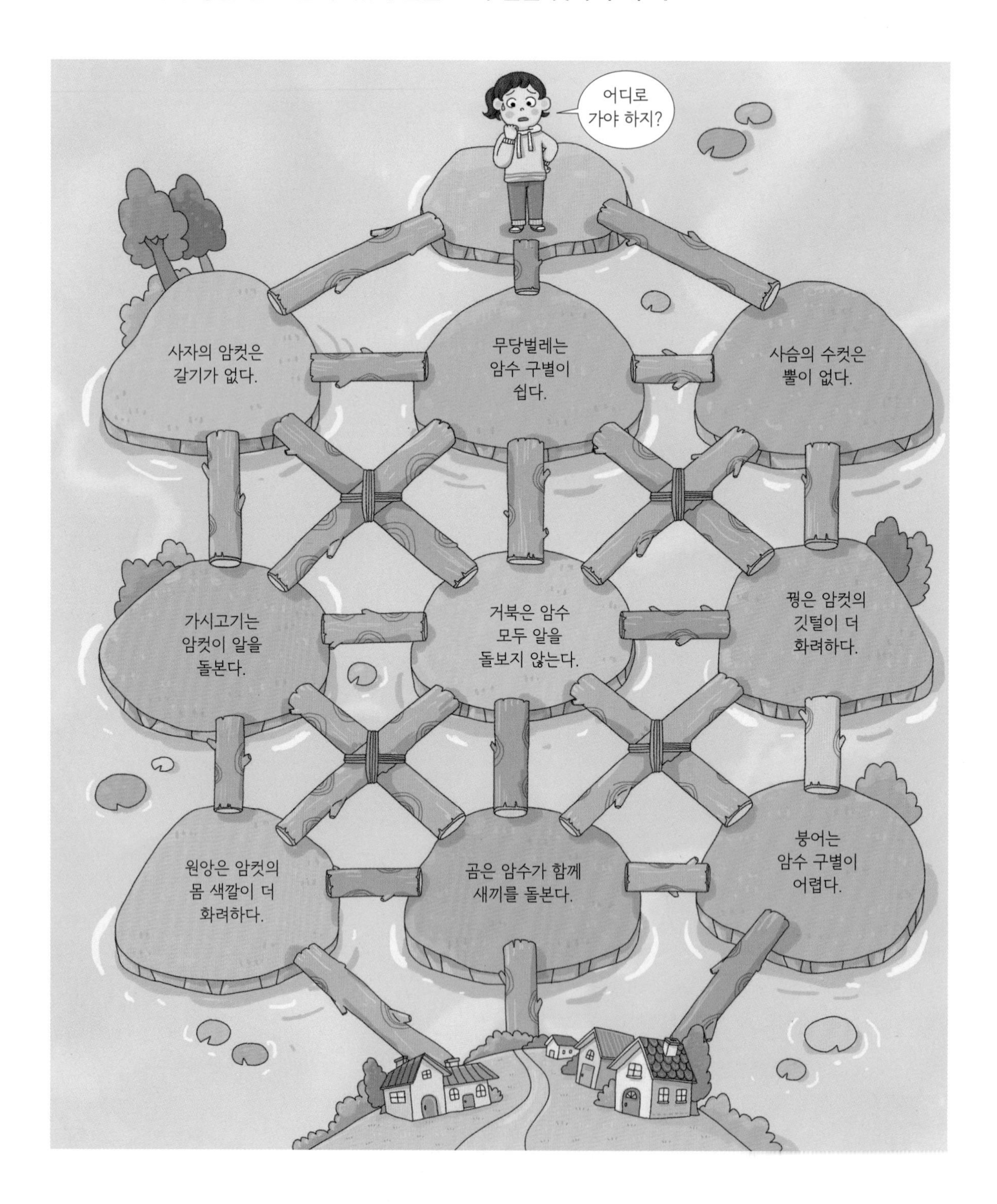

닭이 낳는 알 중 유정란과 무정란의 차이를 알아봅니다.

3 다음 만화를 읽고 닭이 낳는 알 중 유정란과 무정란에 대한 설명에 맞게 바르게 줄로 이으세요.

(1) 무정란 •　　• ㉠ 암탉과 수탉의 짝짓기로 나온 달걀 (암탉 + 수탉) •　　• (가) 암탉이 알을 품어도 병아리가 나오지 않음.

(2) 유정란 •　　• ㉡ 수탉 없이 암탉 혼자서 만드는 달걀 (암탉) •　　• (나) 암탉이 알을 품으면 병아리가 나옴.

논리 탄탄

코딩을 통해 사슴벌레의 한살이를 살펴봅니다.

4 다음 코딩판에서 사슴벌레가 한살이 과정에 따라 순서대로 지나 어른벌레 칸에 도착할 수 있도록 코딩 명령어를 그려 보세요. (단, 코딩 명령어는 7개만 사용해야 합니다.)

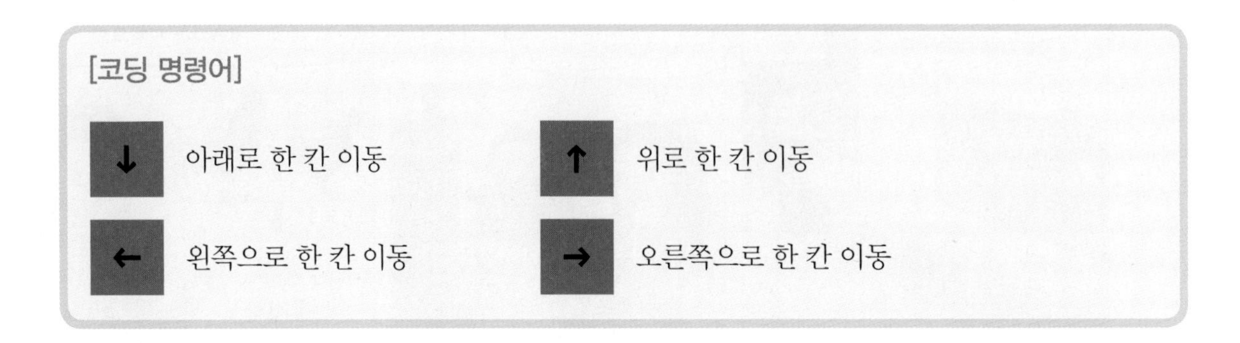

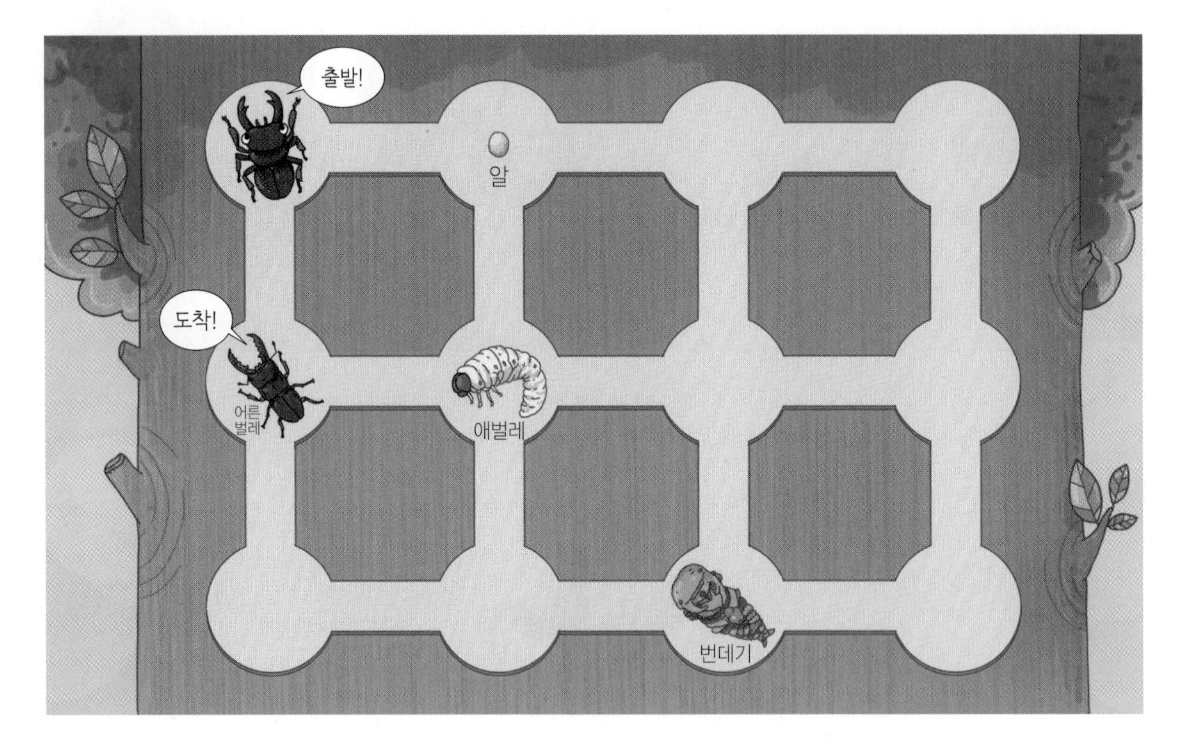

코딩

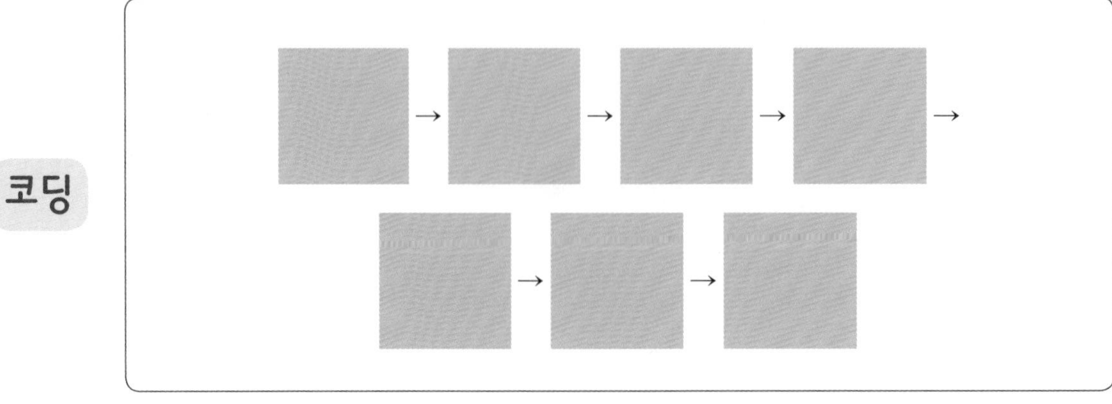

코딩을 통해 동물이 번식을 위해 낳는 것과 곤충의 한살이를 살펴봅니다.

5 나비 애벌레는 코딩을 하여 도착한 곳에서 번데기가 되려고 해요. 나비 애벌레가 번데기가 될 곳은 어디인지 ○표 해 보세요.

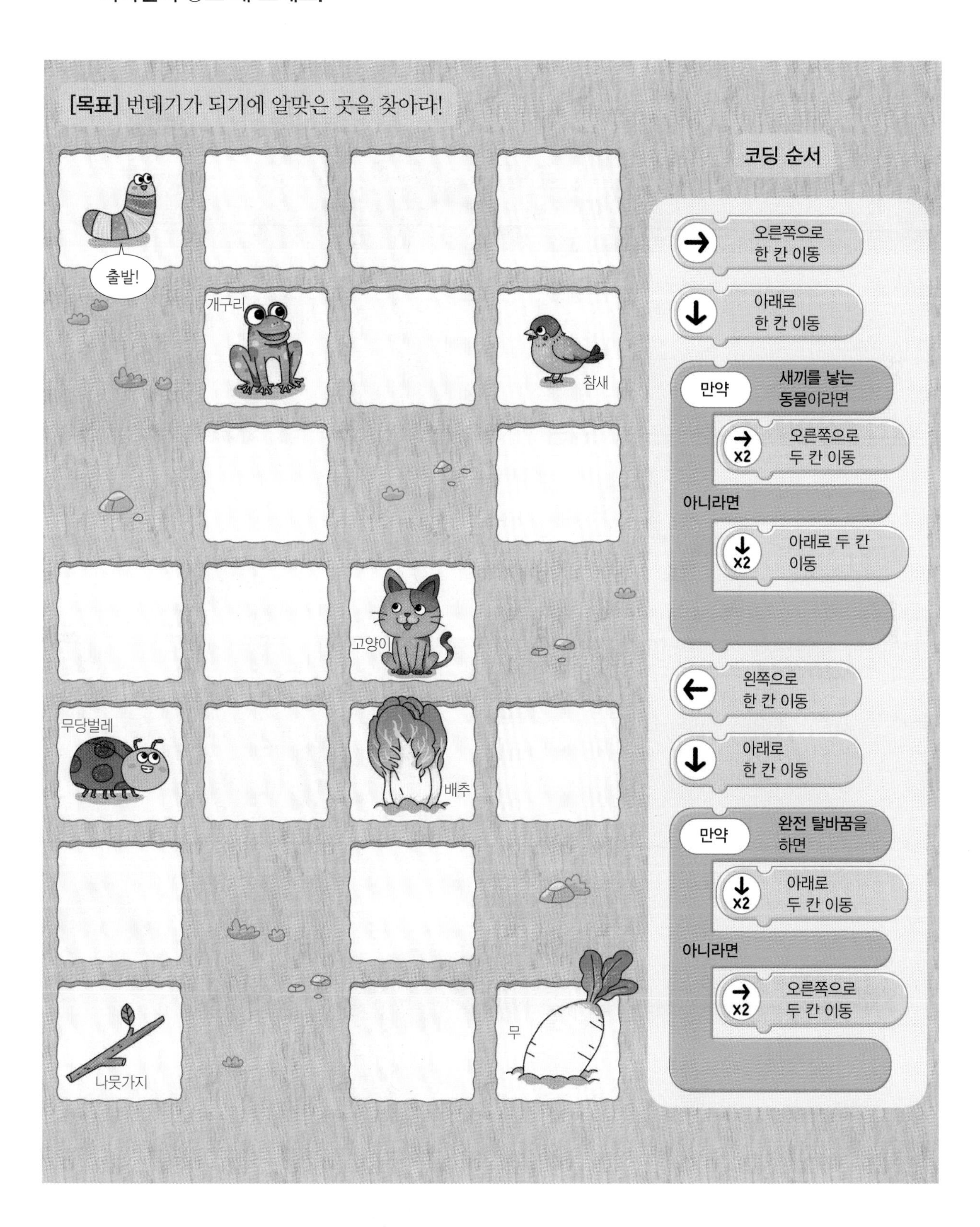

3주 자석의 이용

이번 주에는 무엇을 공부할까? ①

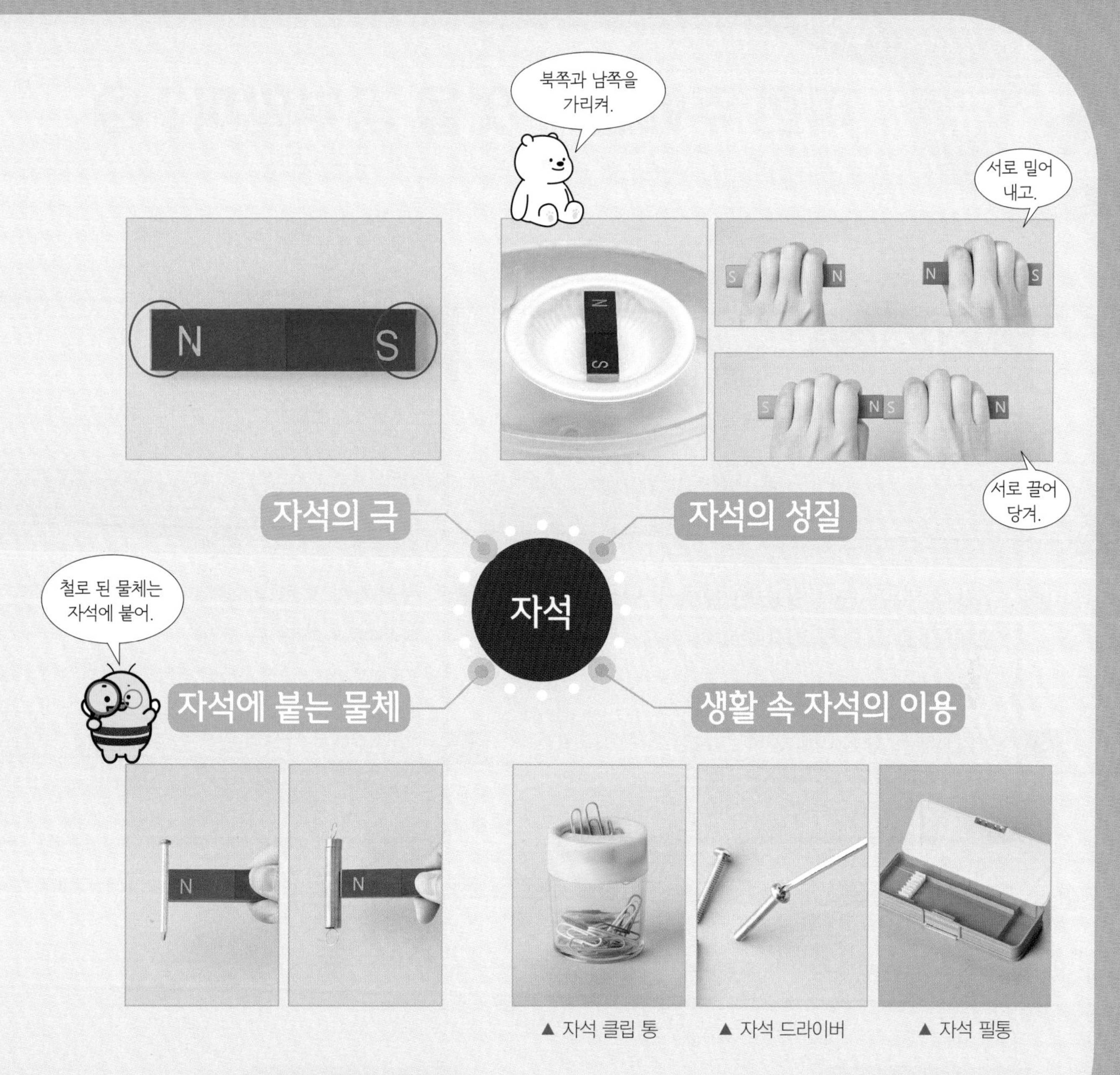

▲ 자석 클립 통 ▲ 자석 드라이버 ▲ 자석 필통

자석의 여러 가지 성질과 나침반의 원리를 알고 생활 속에서 자석은 어떻게 이용되는지 기억해!

이번 주에는 무엇을 공부할까? ❷

자석

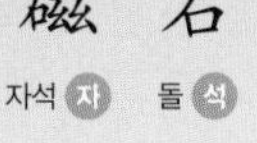

뜻 **철을 끌어당기는 성질을 띤 물체. 막대자석, 고리 자석 등 여러 가지 모양이 있음.**

예 여행지에서 냉장고에 붙이는 냉장고 **자석**과 **자석** 병따개를 샀어요.

자석의 극

極
끝 극

뜻 **자석에서 철로 된 물체가 많이 붙는 부분. 자석에서 극은 두 곳임.**

예 막대자석에서 **자석의 극**은 양쪽 끝부분에 있어요.

자석의 극은 N극과 S극이 있어.

N극

極
끝 극

N S

'엔극'이라고 해.

뜻 **북쪽을 가리키는 자석의 극.**
N은 북쪽을 뜻하는 'North'(노스)의 앞 글자와 같음.

예 막대자석에서 보통 **N극**은 빨간색으로 표시해요.

S극

極
끝 극

S N

'에스극'이라고 해.

뜻 **남쪽을 가리키는 자석의 극.**
S는 남쪽을 뜻하는 'South'(사우스)의 앞 글자와 같음.

예 막대자석에서 보통 **S극**은 파란색으로 표시해요.

자석의 힘 (자기력)

磁 氣 力

자석 자 기운 기 힘 력

뜻 **자석과 자석, 자석과 철로 된 물체 사이에 작용하는 힘**

예 자석과 철로 된 물체 사이에는 서로 끌어당기는 **자석의 힘**이 작용해요.

나침반

羅 針 盤

벌일 나 바늘 침 쟁반 반

뜻 **자석이 북쪽과 남쪽을 가리키는 성질을 이용해 방향을 찾을 수 있도록 만든 도구**

예 **나침반**은 등산객, 선장, 야외 활동을 하는 군인 등 방향을 찾아야 하는 곳에 사용해요.

자기화

磁 氣 化

자석 자 기운 기 될 화

뜻 **원래 자석이 아니었던 물체가 자석의 성질을 띠게 되는 것**

예 클립처럼 철로 된 물체를 자석의 극에 1분 동안 붙여 놓으면 **자기화**돼요.

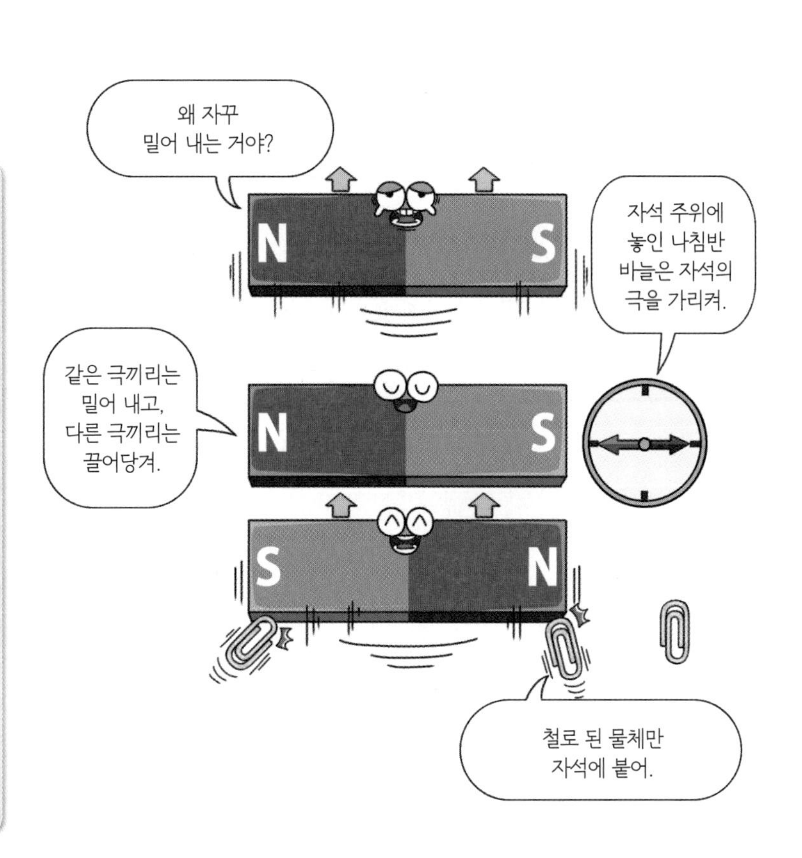

1일 자석

자석으로 찾을 수 있어

용어 체크

자석

철을 끌어당기는 성질을 띤 물체

예 냉장고 문에 붙일 수 있게 광고지 뒷면에 고무 ❶ [ ] 이 있다.

철

단단하고 대부분 은색을 띠고 있는 고체로, '쇠'라고도 불림.

예 • 철사는 ❷ [ ] 로 만든 가는 줄이다.
• 클립은 철로 만들어졌다.

정답 ❶ 자석 ❷ 철

자석으로 마술쇼?

용어 체크

자석의 극

자석에서 철로 된 물체가 많이 붙는 부분으로, 자석의 극은 두 군데로 N극과 S극이 있음.

예 막대자석에서 클립이 많이 붙는 부분이 자석의 ❶ ______ 이다.

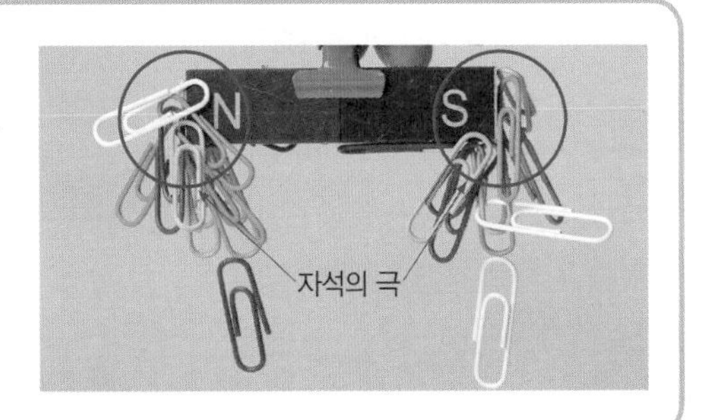

정답 ❶ 극

1일 개념 익히기

1 자석에 붙는 물체를 찾아볼까?

가위의 손잡이는 자석에 붙지 않아.

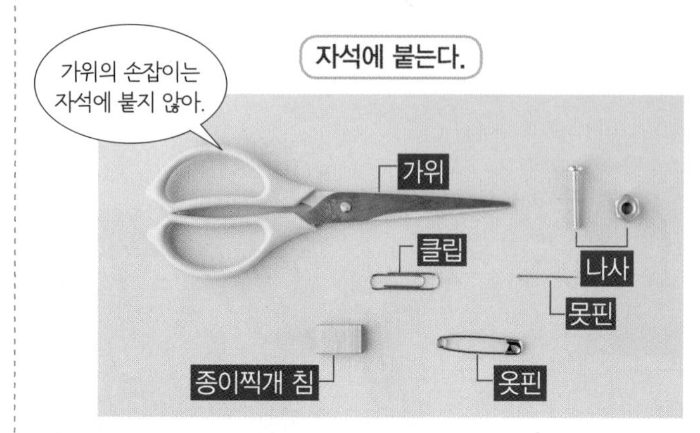

자석에 붙지 않는다.

책 비커 거울 동전 단추 칫솔 연필 열쇠

금속은 모두 자석에 붙는다? NO!

가위의 날, 클립, 옷핀, 못핀 등은 ❶(철 / 자석)에 붙습니다.

2 자석에 붙는 물체의 공통점은 무엇일까?

이름에 모두 '철'이 들어 있네.

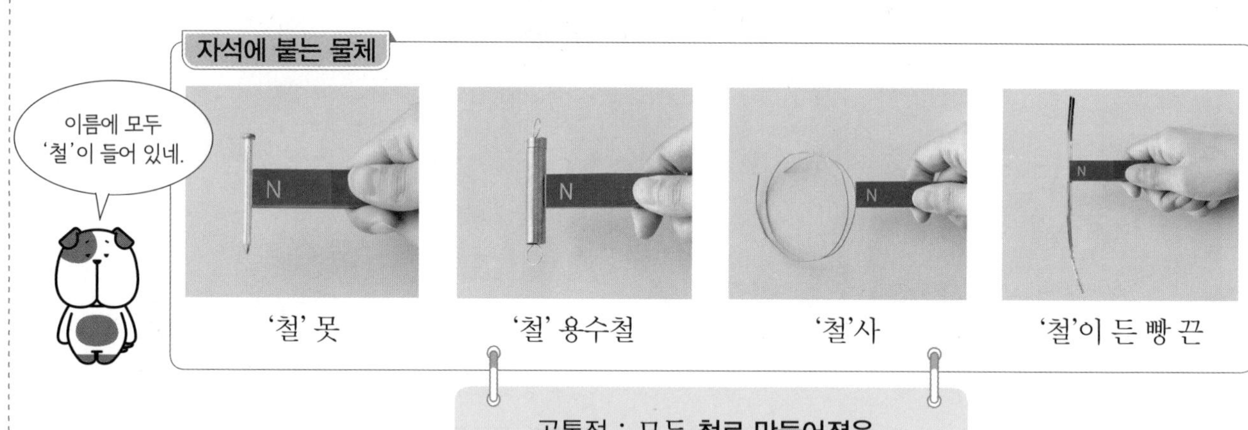

'철' 못 / '철' 용수철 / '철'사 / '철'이 든 빵 끈

공통점 : 모두 **철로** 만들어졌음.

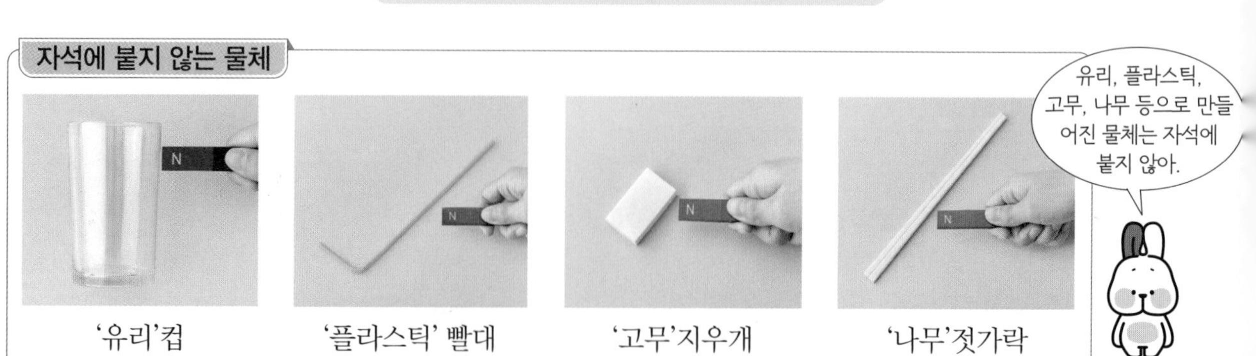

'유리'컵 / '플라스틱' 빨대 / '고무'지우개 / '나무'젓가락

유리, 플라스틱, 고무, 나무 등으로 만들어진 물체는 자석에 붙지 않아.

자석에 붙는 물체는 ❷(철 / 금속)(으)로 만들어졌습니다.

3 자석에서 철로 된 물체가 많이 붙는 부분은 어디일까?

막대자석의 극

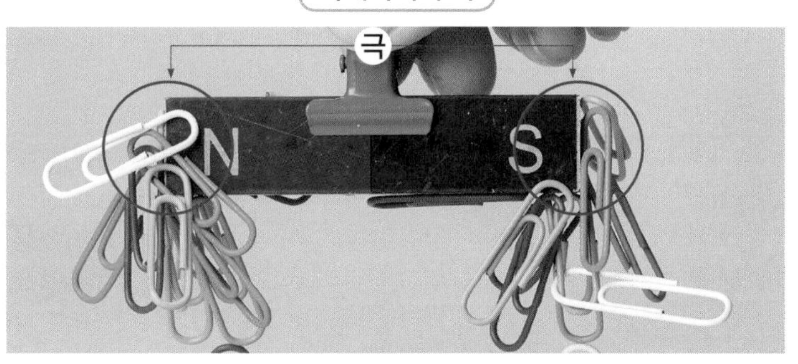

양쪽 끝부분에 클립이 많이 붙는다.

자석의 극
- 자석에서 철로 된 물체가 많이 붙는 부분임.
- 자석의 극은 항상 두 개임.

고리 자석의 극

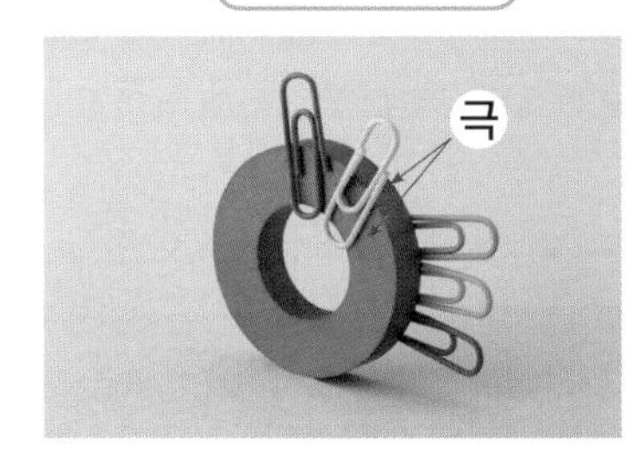

동전 모양 자석의 극

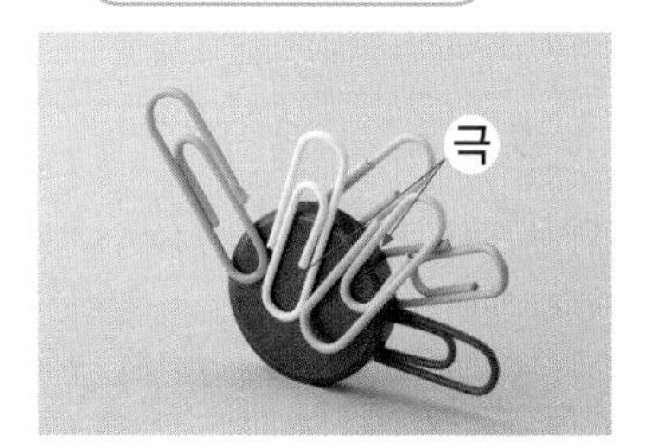

양쪽 둥근 면에 클립이 많이 붙는다.

철로 된 물체가 많이 붙는 부분은 자석의 극으로, 막대자석의 [3](극 / 면)은 양쪽 끝부분에 있습니다.

정답 ❶ 자석 ❷ 철 ❸ 극

개념 체크

정답과 풀이 9쪽

1 철 못, 철사는 자석에 (붙는 / 붙지 않는) 물체로, ☐(으)로 만들어졌습니다.

2 막대자석에서 클립이 많이 붙는 부분은 (가운데 / 양쪽 끝)부분입니다.

3 자석에서 철로 된 물체가 많이 붙는 부분을 자석의 ☐(이)라고 하고, 항상 ☐개입니다.

보기
- 철
- 극
- 1
- 2

1일

개념 확인하기

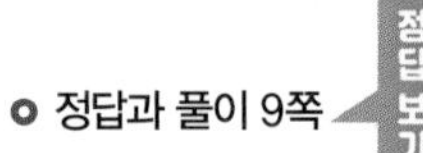
◦ 정답과 풀이 9쪽

1 다음의 물체에 각각 자석을 대 보았을 때 자석에 붙는 것에 ○표를, 자석에 붙지 않는 것에 ×표를 하시오.

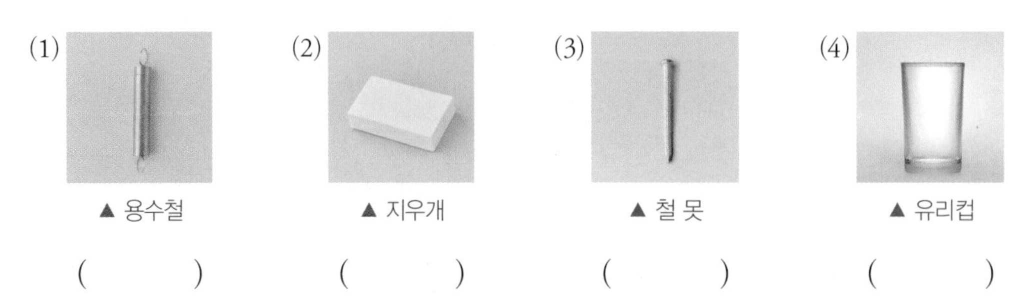

(1) ▲ 용수철 (   )

(2) ▲ 지우개 (   )

(3) ▲ 철 못 (   )

(4) ▲ 유리컵 (   )

2 다음 물체의 공통점으로 옳은 것을 두 가지 고르시오. (,   )

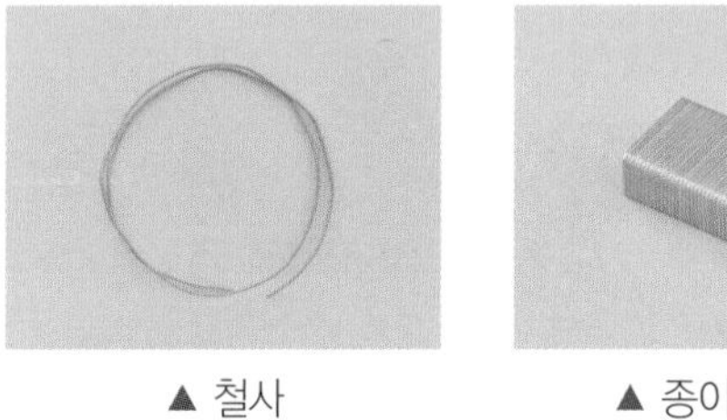
▲ 철사

▲ 종이찍개 침

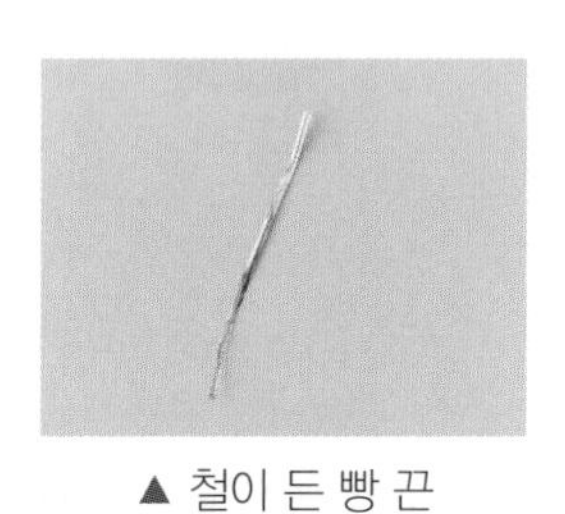
▲ 철이 든 빵 끈

① 자석에 붙는다.
② 자석에 붙지 않는다.
③ 철로 만들어졌다.
④ 플라스틱으로 만들어졌다.
⑤ 여러 가지 물질로 만들어졌다.

3 다음과 같이 막대자석을 클립이 든 종이 상자에 넣었다가 천천히 들어 올릴 때 클립이 많이 붙는 부분에 ○표를 하시오.

4 다음의 고리 자석과 동전 모양 자석에서 클립이 많이 붙는 부분은 각각 어디인지 기호를 쓰시오.

(1) (　　　　　　)　　(2) (　　　　　　)

▲ 고리 자석　　▲ 동전 모양 자석

5 자석에서 철로 된 물체가 많이 붙는 부분을 무엇이라고 하는지 쓰시오.

자석의 (　　　　　　　　)

6 다음 중 자석의 극에 대한 설명으로 옳은 것은 어느 것입니까? (　　　　)

① 자석의 극은 항상 한 개이다.
② 금속으로 된 물체가 많이 붙는다.
③ 막대자석의 극은 양쪽 끝부분에 있다.
④ 고리 자석의 극은 한쪽 둥근 면에 있다.
⑤ 모양이 다른 자석에서는 자석의 극을 찾을 수 없다.

똑똑한 하루 퀴즈

7 다음 □ 안에 들어갈 알맞은 낱말을 말 상자에서 찾아 모두 ○표를 하세요. 말 상자의 낱말은 가로, 세로, 대각선에 숨어 있어요.

궁	예	☆	고
☆	철	돌	리
극	막	대	자
기	자	전	거
둥	금	석	☆

❶ 철을 끌어당기는 성질을 띤 물체. □□
❷ 자석에 붙는 물체는 □로 만들어졌음.
❸ 자석에서 철로 된 물체가 많이 붙는 부분.
자석의 □
❹ □□ 자석은 자석의 극이 양쪽 둥근 면에 있음.

2일 자석의 힘

흩어진 나사못들을 끌어당겨

용어 체크

자석의 힘(자기력)

자석이 철로 된 물체나 자석을 끌어당기거나 밀어 내는 힘

예 실에 묶은 자석을 소화기 몸통에 가까이 가져가면 자석이 물체에 끌려가서 붙는 것은 자석과 물체 사이에 ❶ (　　　　) 힘이 작용하기 때문이다.

▲ 서로 끌어당기는 힘이 작용하는 소화기 몸통과 자석

정답 ❶ 끌어당기는

자석 드라이버는 정말 편리해

용어 체크

자석 드라이버

나사못을 박거나 빼는 기구인 드라이버의 끝부분이 자석으로 되어 있음.

예 ❶ [ ] 드라이버는 철로 된 나사를 드라이버 끝부분에 고정하여 사용하기 편리하다.

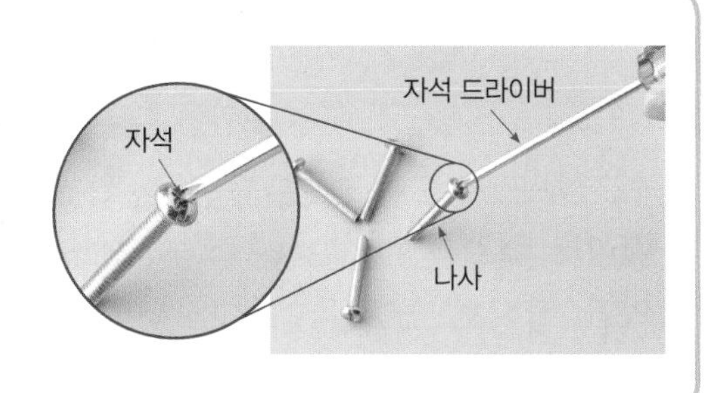

정답 ❶ 자석

2일 개념 익히기

1 자석과 철로 된 물체 사이에 작용하는 힘을 알아볼까?

실험 동영상

자석과 철로 된 물체 사이에는 서로 끌어당기는 힘이 있어.

✔ 자석과 철로 된 물체 사이에는 ❶(밀어 내는 / 끌어당기는) 힘이 작용하고, 철로 된 물체와 자석이 약간 떨어져 있거나 자석과 철로 된 물체 사이에 얇은 종이 등이 있어도 서로 끌어당기는 힘이 ❷(작용합니다 / 작용하지 않습니다).

2 자석을 이용한 생활용품을 찾아볼까?

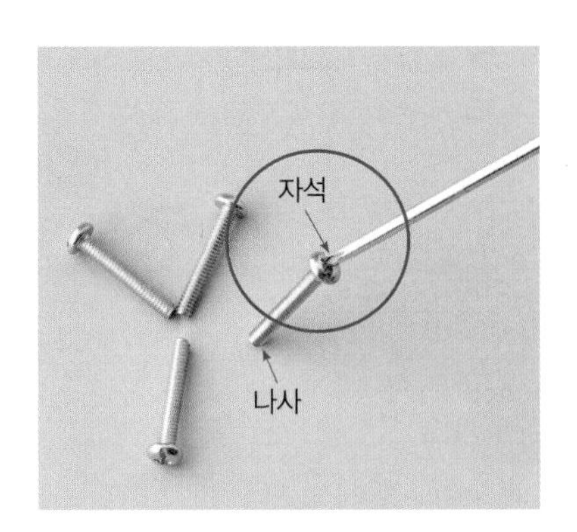

자석 드라이버

드라이버 끝부분이 자석으로 되어 있어 나사를 드라이버 끝부분에 고정시키기 편리함.

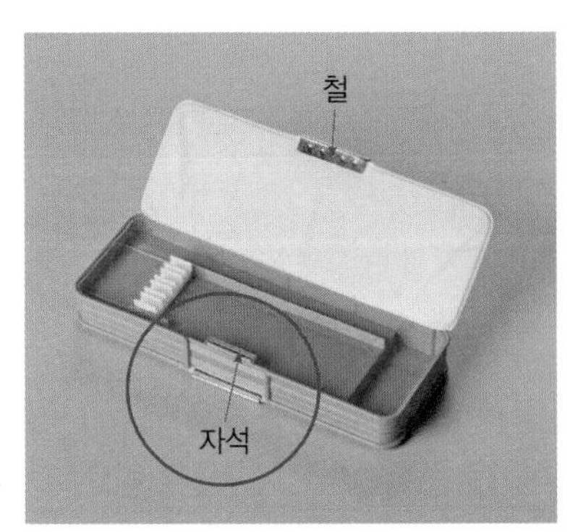

자석 필통

필통을 열고 닫는 부분에 자석이 있어 철이 있는 필통 뚜껑이 잘 닫힘.

자석 클립 통

윗부분에 자석이 있어 클립 통이 뒤집어지거나 바닥에 떨어져도 클립이 잘 흩어지지 않음.

자석 드라이버, 자석 필통, 자석 클립 통은 ❸(금속 / 자석)이 철로 된 물체를 끌어당기는 힘을 이용하여 만든 생활에 편리한 용품입니다.

정답 ❶ 끌어당기는 ❷ 작용합니다 ❸ 자석

정답과 풀이 9쪽

1 철이 든 빵 끈 조각에 자석을 가까이 가져가면 빵 끈 조각은 자석에 ☐☐ 옵니다.

2 자석과 철로 된 물체 사이에는 (끌어당기는 / 밀어 내는) 힘이 작용합니다.

3 자석 드라이버는 드라이버의 끝부분이 ☐☐ 으로 되어 있습니다.

보기
- 끌려
- 밀려
- 자석
- 금속

2일 개념 확인하기

○ 정답과 풀이 9쪽

1 오른쪽과 같이 막대자석을 투명한 통에 들어 있는 빵 끈 조각에 가까이 가져갈 때 빵 끈 조각이 어떻게 되는지, 그 모습으로 옳은 것을 골라 기호를 쓰시오.

빵 끈 조각

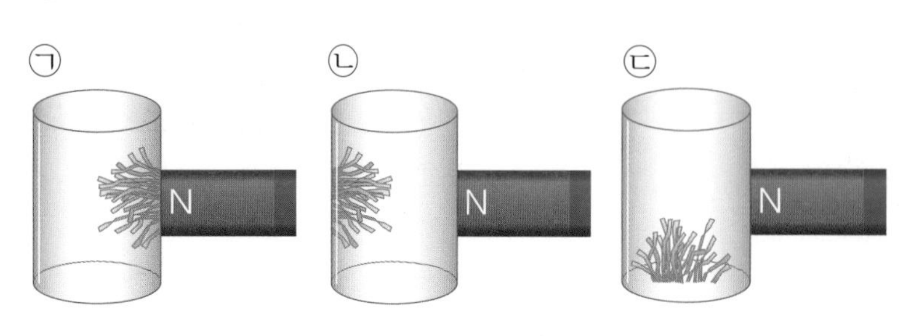

( )

2 위 **1**번에서 빵 끈 조각에 가까이 가져갔던 막대자석을 투명한 통의 윗부분까지 끌고 간 뒤에 막대자석을 통의 윗부분에서 조금씩 떨어뜨릴 때의 모습을 줄로 바르게 이으시오.

(1) 막대자석을 조금 떨어뜨렸을 때 •   • ㉠ 빵 끈 조각이 바닥으로 떨어짐.

(2) 막대자석을 조금씩 더 떨어뜨렸을 때 •   • ㉡ 빵 끈 조각이 투명한 통의 윗부분에 붙어 있음.

3 위 **1**번과 **2**번의 탐구 활동을 통해 알 수 있는 점으로 옳은 것을 보기에서 골라 기호를 쓰시오.

보기

㉠ 철로 된 물체는 자석에 붙지 않습니다.
㉡ 자석을 철로 된 물체에 가까이 가져가면 철로 된 물체는 자석에 끌려옵니다.
㉢ 철로 된 물체와 자석이 조금만 떨어져 있어도 자석은 철로 된 물체를 끌어당길 수 없습니다.

( )

4 다음의 생활용품에서 자석이 있는 부분이 잘못 표시된 것을 골라 기호를 쓰시오.

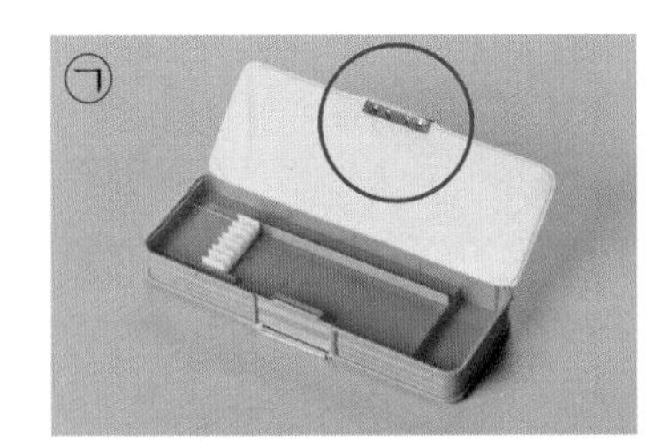

▲ 자석 필통

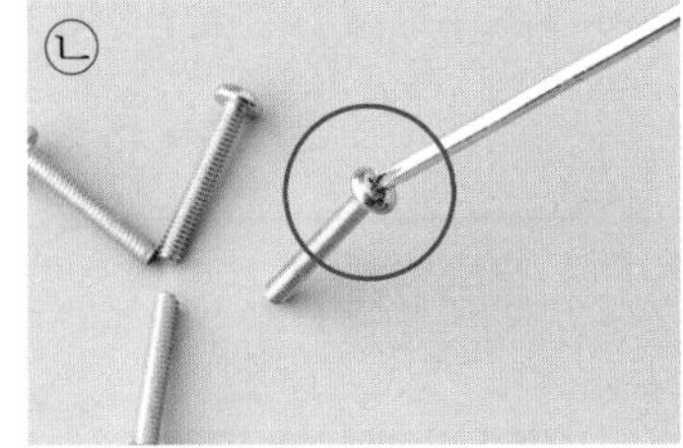

▲ 자석 드라이버

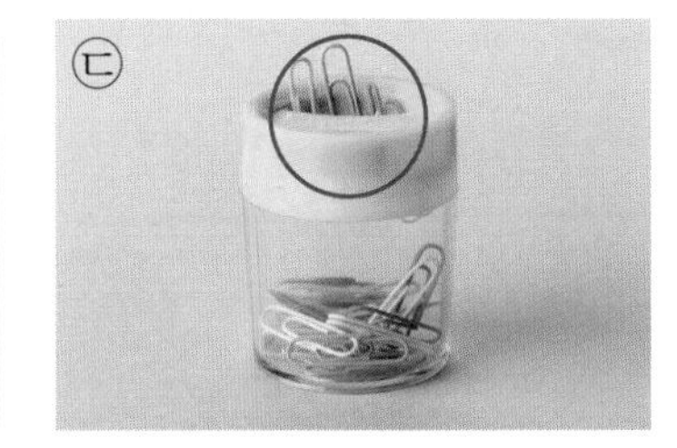

▲ 자석 클립 통

( )

5 다음 중 위 4번의 생활용품에 공통으로 이용된 자석의 성질로 옳은 것은 어느 것입니까? ( )

① 자석은 일정한 방향을 가리킨다.
② 자석은 철로 된 물체를 끌어당긴다.
③ 자석은 고무로 된 물체를 끌어당긴다.
④ 자석의 끌어당기는 힘은 플라스틱을 통과하지 못한다.
⑤ 자석과 철로 된 물체 사이에는 밀어 내는 힘이 작용한다.

집중 연습 문제 자석과 철로 된 물체 사이에 작용하는 힘

6 다음 중 자석과 철로 된 물체 사이에 작용하는 힘에 대한 설명으로 옳은 것에는 ○표, 옳지 않은 것에는 ×표를 하시오.

(1) 자석과 철로 된 물체 사이에는 끌어당기는 힘이 작용합니다. ( )

(2) 자석과 철로 된 물체 사이에는 밀어 내는 힘이 작용합니다. ( )

(3) 철로 된 물체와 자석이 약간 떨어져 있어도 자석은 철로 된 물체를 끌어당길 수 있습니다. ( )

(4) 자석과 철로 된 물체 사이에 작용하는 힘은 얇은 종이를 통과하지 못합니다. ( )

(5) 철로 된 물체로부터 자석이 멀어질 경우 자석이 철로 된 물체를 끌어당기는 힘은 조금씩 약해집니다. ( )

3일 자석이 가리키는 방향

나침반이 필요해

용어 체크

나침반

자석이 북쪽과 남쪽을 가리키는 성질을 이용하여 방향을 찾을 수 있게 만든 도구

예 탐험 대장은 ❶ [ ] 을 보면서 북쪽을 향해 계속 걸어갔다.

N극과 S극

N극은 북쪽을 가리키는 자석의 극
S극은 남쪽을 가리키는 자석의 극

예 막대자석은 주로 N극은 ❷ [ ] 색, S극은 파란색으로 표시한다.

정답 ❶ 나침반 ❷ 빨간

머리핀으로 나침반을 만든다고?

용어 체크

자기화

원래 자석이 아니었던 물체가 자석의 성질을 띠게 되는 것

예 철로 된 머리핀을 자석에 붙여 놓으면 ❶ ______ 되어 머리핀은 자석의 성질을 띠게 된다.

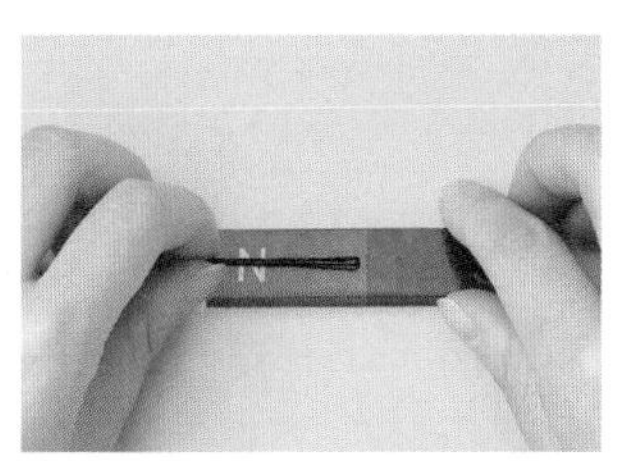
▲ 머리핀을 자기화하는 방법

정답 ❶ 자기화

3일 개념 익히기

실험 동영상

1 물에 띄운 자석은 어느 방향을 가리킬까?

▲ 물에 띄운 자석은 항상 북쪽과 남쪽을 가리킴.

▲ 나침반 바늘은 항상 북쪽과 남쪽을 가리킴.

자석은 항상 일정한 방향인 ❶(동쪽과 서쪽 / 북쪽과 남쪽)을 가리킵니다.

2 자석의 N극과 S극을 알아볼까?

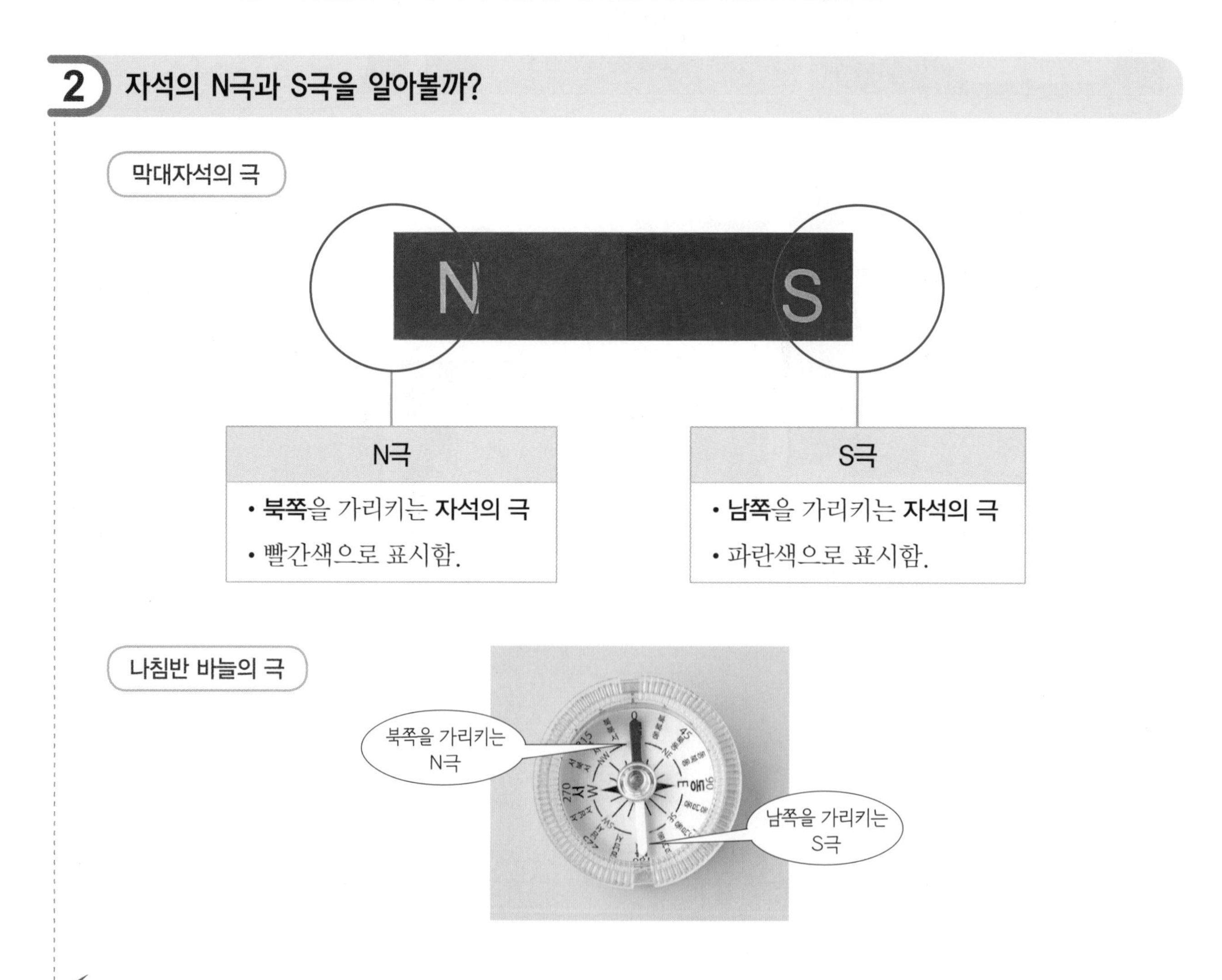

❷(북 / 남)쪽을 가리키는 자석의 극을 N극, ❸(북 / 남)쪽을 가리키는 자석의 극을 S극이라고 합니다.

3 머리핀으로 나침반을 만들 수 있을까?

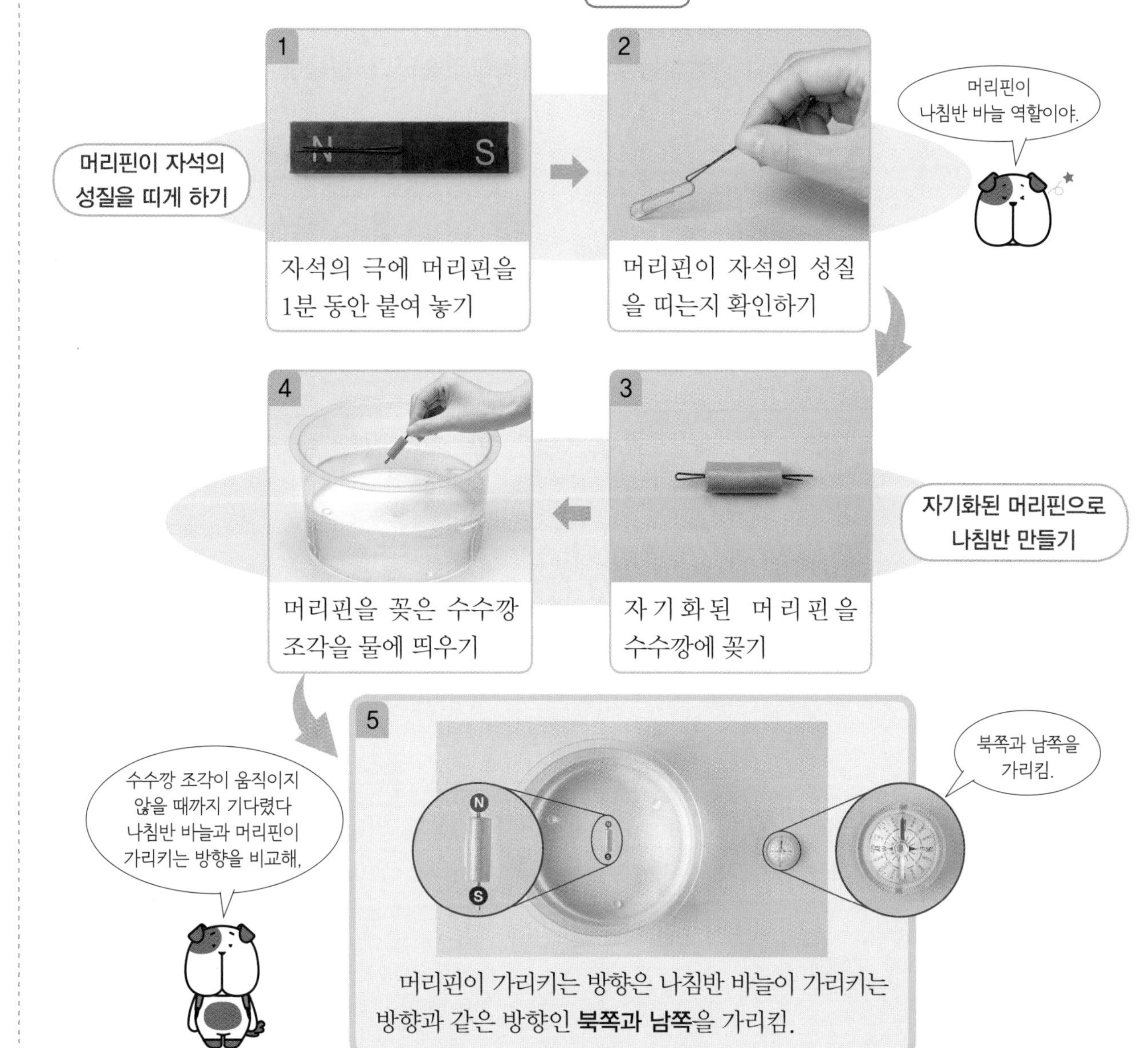

철로 된 물체를 자석에 붙여 놓아 ❹(자석 / 금속)의 성질을 띠게 하여 나침반을 만들 수 있습니다.

정답 ❶ 북쪽과 남쪽 ❷ 북 ❸ 남 ❹ 자석

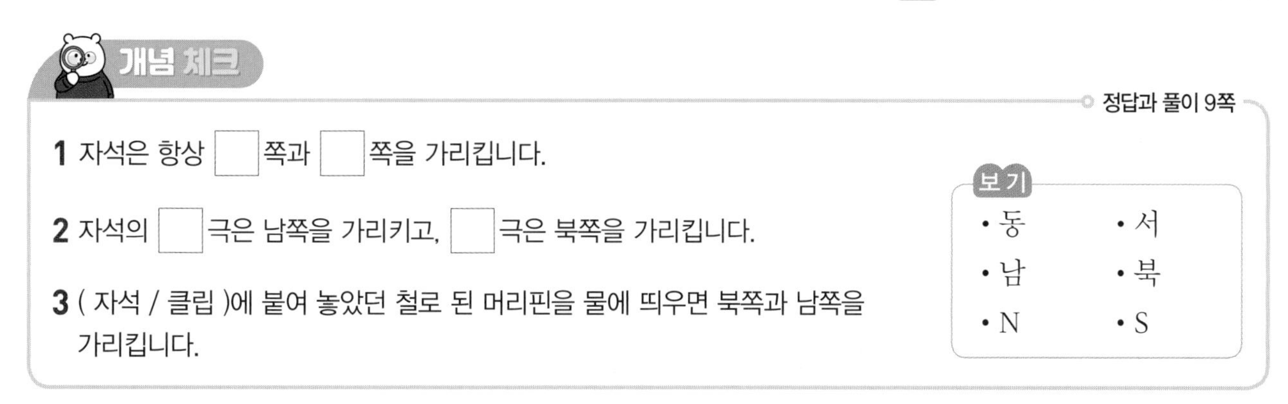

개념 체크

정답과 풀이 9쪽

1 자석은 항상 ☐쪽과 ☐쪽을 가리킵니다.

2 자석의 ☐극은 남쪽을 가리키고, ☐극은 북쪽을 가리킵니다.

3 (자석 / 클립)에 붙여 놓았던 철로 된 머리핀을 물에 띄우면 북쪽과 남쪽을 가리킵니다.

보기
- 동
- 서
- 남
- 북
- N
- S

3일 개념 확인하기

정답과 풀이 10쪽

[1~2] 다음과 같이 동서남북의 방향을 확인한 교실에서 막대자석을 물에 띄운 뒤, 막대자석이 어느 방향을 가리키는지 관찰하는 실험을 반복하였습니다. 물음에 답하시오.

1 다음 중 위 활동 결과에 대한 설명으로 옳은 것은 어느 것입니까? (　　　　)

① 막대자석은 항상 동쪽과 서쪽을 가리킨다.
② 막대자석은 항상 북쪽과 남쪽을 가리킨다.
③ 막대자석은 일정한 방향을 가리키지 않는다.
④ 막대자석은 움직임을 멈추지 않고 계속 돈다.
⑤ 위 활동으로 막대자석이 가리키는 방향은 알 수 없다.

2 오른쪽은 위 활동에서 플라스틱 접시가 움직이지 않을 때 막대자석의 모습입니다. 보기에서 알맞은 방향을 골라 사진의 ○ 안에 쓰시오.

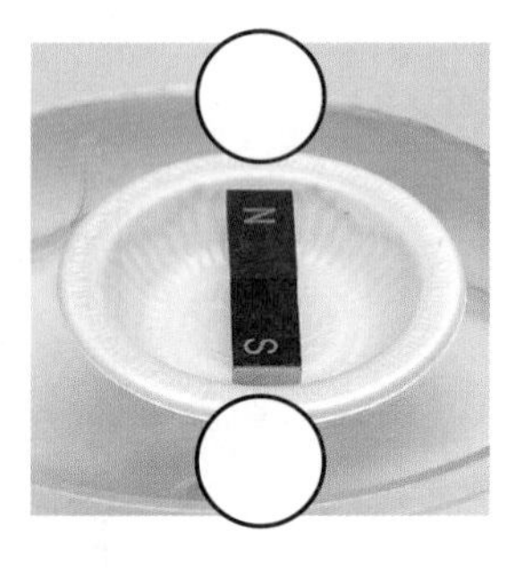

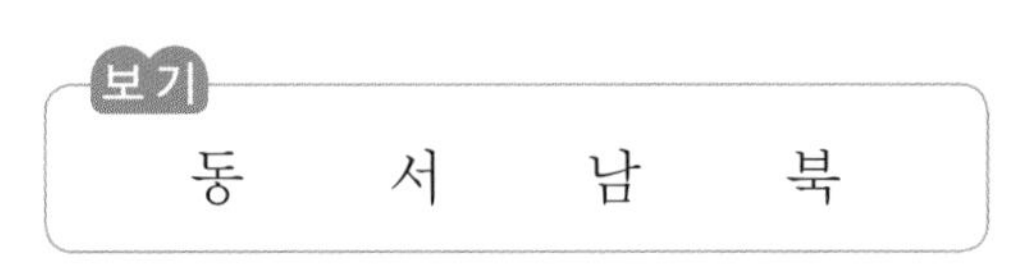

3 다음 막대자석의 극에 대한 설명을 바르게 줄로 이으시오.

㉠ 북쪽을 가리키는 자석의 극　　㉡ 남쪽을 가리키는 자석의 극

4 나침반에 대한 설명으로 옳지 않은 것을 보기에서 골라 기호를 쓰시오.

보기
㉠ 나침반의 바늘도 자석입니다.
㉡ 나침반 바늘은 항상 동쪽과 서쪽 방향을 가리킵니다.
㉢ 나침반은 자석이 일정한 방향을 가리키는 성질을 이용하여 만든 도구입니다.

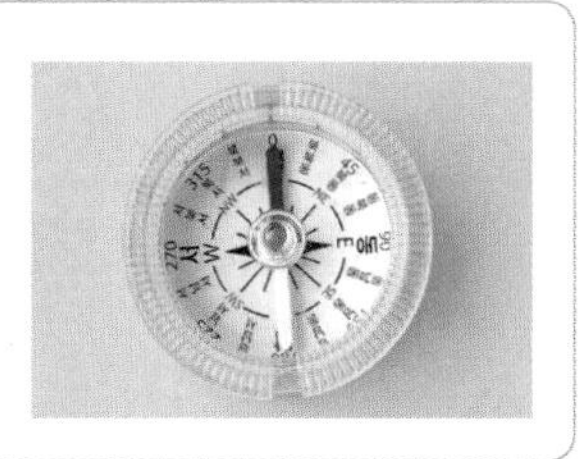

( )

5 다음 중 머리핀으로 나침반을 만들 때 가장 먼저 해야 할 일은 어느 것입니까? ( )

① 머리핀을 물에 띄워 놓는다.
② 머리핀을 자석에 붙여 놓는다.
③ 머리핀을 클립에 붙여 놓는다.
④ 머리핀을 수수깡 조각에 끼워 놓는다.
⑤ 머리핀이 가리키는 방향과 나침반 바늘이 가리키는 방향을 비교한다.

6 위 5번의 머리핀으로 만든 나침반을 오른쪽과 같이 물에 띄웠을 때 머리핀이 가리키는 방향을 쓰시오.

( )쪽과 ( )쪽

7 다음 □ 안에 들어갈 알맞은 낱말을 말 상자에서 찾아 모두 ○표를 하세요. 말 상자의 낱말은 가로, 세로, 대각선에 숨어 있어요.

자	석	막	대
기	나	침	반
화	침	바	★
시	판	늘	S
계	★	N	극

❶ 자석이 일정한 방향을 가리키는 성질을 이용하여 방향을 찾을 수 있도록 만든 도구. □□□
❷ 남쪽을 가리키는 자석의 극. □□
❸ 북쪽을 가리키는 자석의 극. □□
❹ □□□는 자석이 아닌 물체가 자석의 성질을 띠게 되는 것을 말함.

4일 자석과 자석 사이에 작용하는 힘

자석의 극 사이에는 어떤 힘이 있어

용어 체크

끌어당기는 힘(인력)

자석의 다른 극끼리 서로 끌어당기는 힘.
S극과 N극 사이에 작용함.

예 자석의 S극과 N극 사이에는 서로 ❶ [　　　　] 힘이 작용한다.

밀어 내는 힘(척력)

자석의 같은 극끼리 서로 밀어 내는 힘.
S극과 S극, N극과 N극 사이에 작용함.

예 자석의 같은 극 사이에는 서로 ❷ [　　　　] 힘이 작용한다.

정답 ❶ 끌어당기는 ❷ 밀어 내는

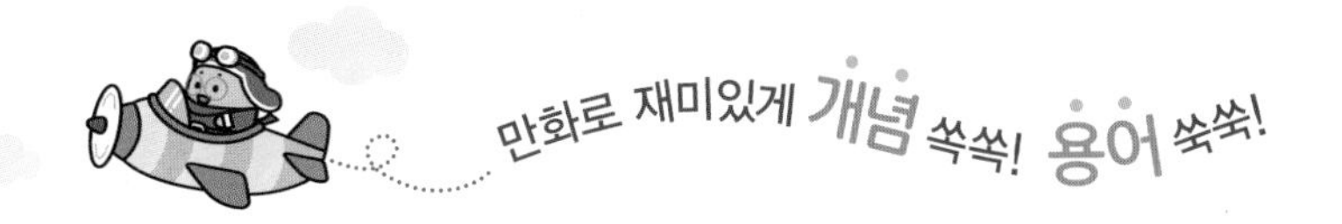

머리핀 나침반 근처에 자석을 놓지 마

용어 체크

나침반 바늘

자석으로 만들어졌고, 항상 북쪽과 남쪽을 가리킴. 나침반 바늘의 N극은 북쪽을 가리키는 부분으로, 빨간색이나 화살표 등으로 표시함.

예 나침반의 ❶ [　　　] 은 자석으로 만들어졌기 때문에 강한 자석과 같이 두면 나침반이 고장이 날 수 있다.

정답 ❶ 바늘

3주

4일 개념 익히기

1 자석과 자석 사이에는 어떤 힘이 작용할까?

자석의 같은 극 사이 N극과 N극끼리, S극과 S극끼리

두 손을 가까이 가져가면?

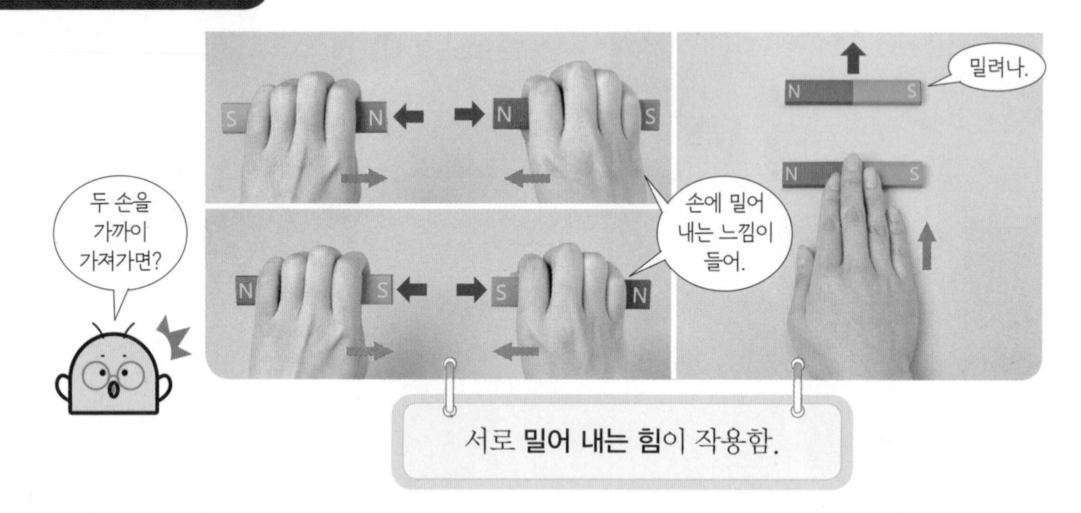

서로 **밀어 내는 힘**이 작용함.

자석의 다른 극 사이 N극과 S극끼리

두 손을 가까이 가져가면?

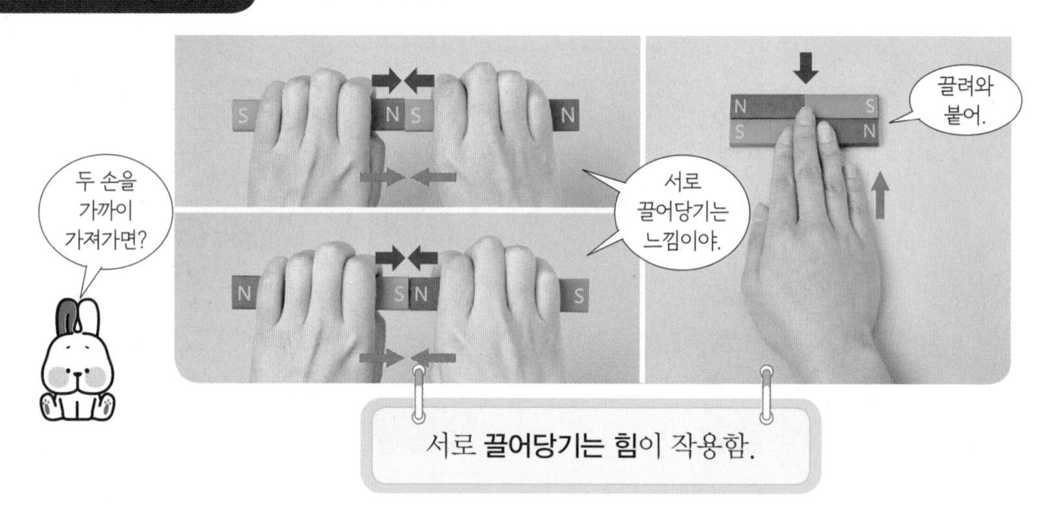

서로 **끌어당기는 힘**이 작용함.

고리 자석으로 탑 쌓기

☑ 자석의 ❶(같은 / 다른)극끼리는 서로 밀어 내는 힘이 작용하고, ❷(같은 / 다른) 극끼리는 서로 끌어당기는 힘이 작용합니다.

자석과 자석 사이에 작용하는 힘

2 자석 주위에 놓인 나침반 바늘은 어떻게 될까?

실험 동영상

나침반에 막대자석을 가까이 가져가거나 멀어지게 할 때

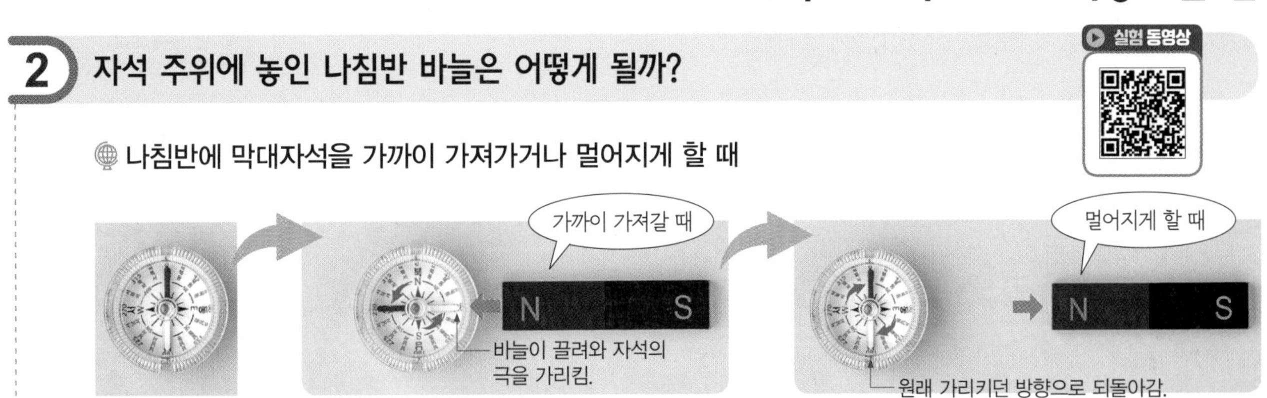

막대자석 주위에 나침반을 놓았을 때

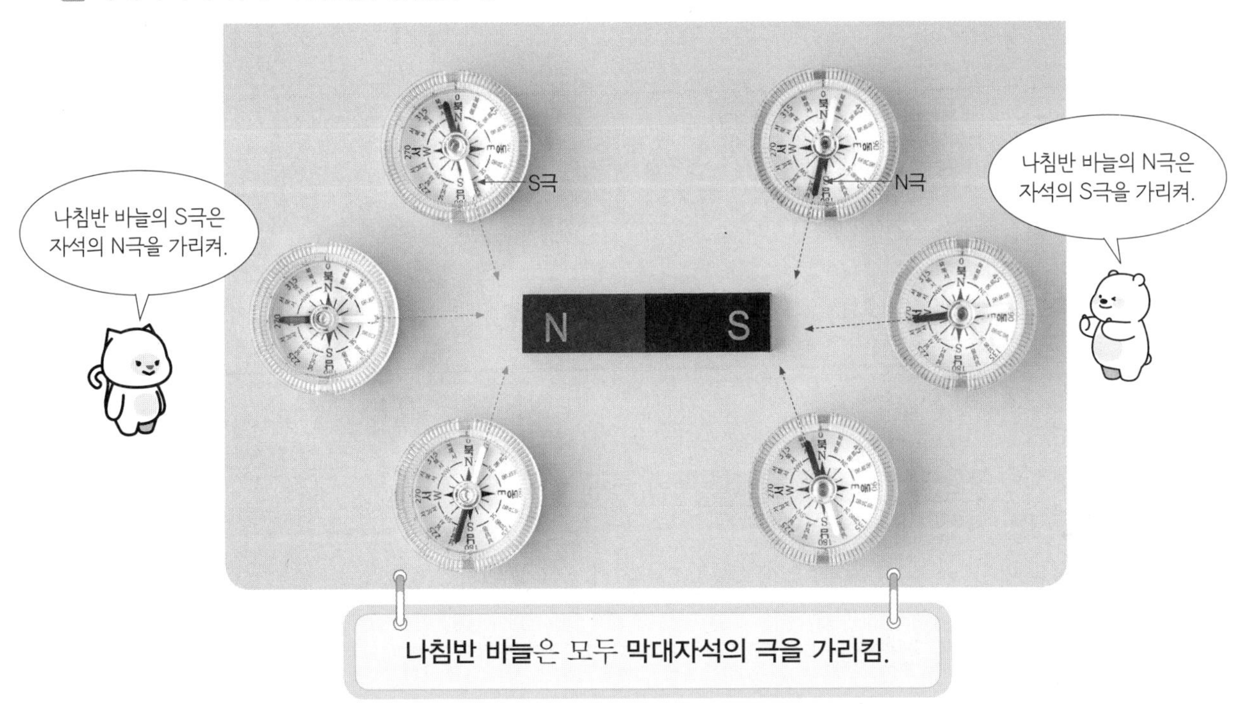

나침반 바늘은 모두 막대자석의 극을 가리킴.

나침반 바늘도 ❸(철 / 자석)이기 때문에 자석의 극과 나침반 바늘의 한쪽 끝도 서로 밀어 내거나 끌어당깁니다.

정답 ❶ 같은 ❷ 다른 ❸ 자석

개념 체크

정답과 풀이 10쪽

1 자석의 N극과 ☐☐ 사이에는 서로 밀어 내는 힘이 작용합니다.

2 자석의 S극과 ☐☐ 사이에는 서로 끌어당기는 힘이 작용합니다.

3 막대자석을 나침반에 가까이 가져가면 나침반 바늘이 돌아 자석의 극을 (가리킵니다 / 가리키지 않습니다).

보기
- N극
- S극
- 같은
- 다른

개념 확인하기

○ 정답과 풀이 10쪽

1 다음과 같이 막대자석 두 개를 마주 보게 하여 가까이 가져갈 때 나타나는 현상을 관찰하였습니다. ㉠과 ㉡에서 손에 느껴지는 힘은 어느 것인지 보기에서 골라 쓰시오.

보기
- 밀어 내는 힘
- 끌어당기는 힘

▲ N극과 N극을 마주 보게 하여 가까이 가져갈 때

( )

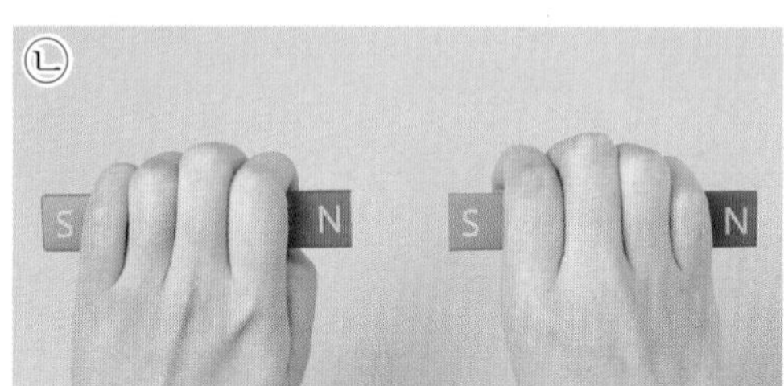

▲ N극과 S극을 마주 보게 하여 가까이 가져갈 때

( )

2 오른쪽과 같이 막대자석 두 개를 마주 보게 나란히 놓고 한 자석을 다른 자석 쪽으로 밀었을 때의 결과로 옳은 것은 어느 것입니까? ( )

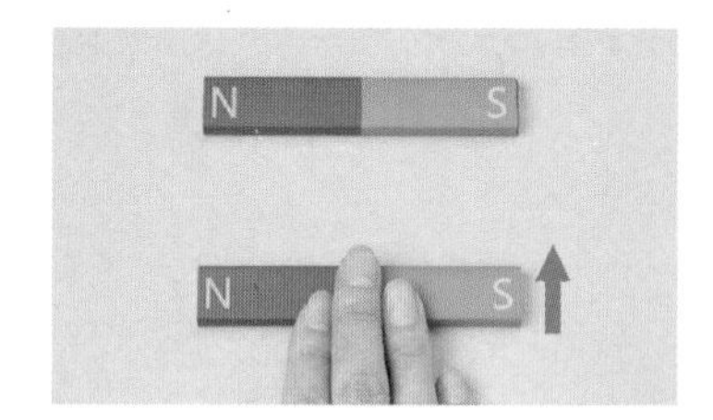

① 자석이 빙글 돈다.
② 자석이 서로 밀어 낸다.
③ 자석이 서로 끌어당긴다.
④ 자석이 움직이지 않는다.
⑤ 두 자석이 서로 밀었다 끌어당겼다를 반복한다.

3 다음 중 자석과 자석 사이에 작용하는 힘에 대한 설명으로 옳은 것에는 ○표, 옳지 않은 것에는 ×표를 하시오.

(1) 자석의 같은 극끼리는 서로 밀어 냅니다. ( )
(2) 자석의 다른 극끼리는 서로 밀어 냅니다. ( )
(3) 자석의 같은 극끼리는 서로 끌어당깁니다. ( )
(4) 자석의 다른 극끼리는 서로 끌어당깁니다. ( )

자석과 자석 사이에 작용하는 힘

4 오른쪽과 같이 나침반의 동쪽으로 막대자석의 N극을 가까이 가져갈 때 나침반 바늘의 움직임에 대한 설명으로 옳은 것을 두 가지 고르시오. (　　　,　　　)

① 나침반 바늘이 한 바퀴 돈다.

② 나침반 바늘의 S극이 끌려온다.

③ 나침반 바늘의 N극이 끌려온다.

④ 나침반 바늘이 자석의 극을 가리킨다.

⑤ 나침반 바늘이 원래 가리키던 방향으로 되돌아간다.

3주

5 다음 막대자석 주위에 놓은 나침반의 모습을 바르게 줄로 이으시오.

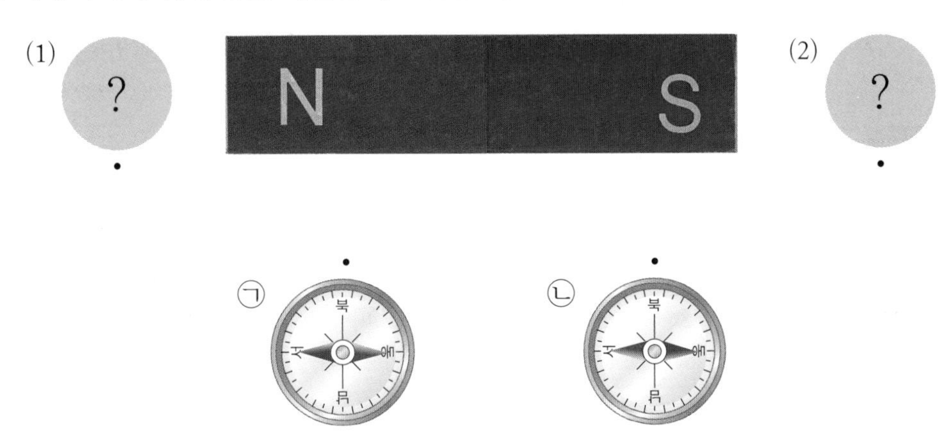

똑똑한 하루 퀴즈

6 다음 □ 안에 들어갈 알맞은 낱말을 말 상자에서 찾아 모두 ○표를 하세요. 말 상자의 낱말은 가로, 세로, 대각선에 숨어 있어요.

나	침	반	끌
침	자	☆	당
반	석	S	기
바	N	극	☆
늘	쪽	자	기

❶ 막대자석을 나침반에 가까이 가져갈 때 막대자석의 극을 가리키는 것. □□□ □□

❷ 나침반에 막대자석의 S극을 가까이 가져갈 때 나침반 바늘의 □□이 끌려옴.

❸ 막대□□ 주위에서 나침반 바늘이 가리키는 방향이 달라짐.

5일 3주 마무리하기

1 자석

① 자석에 붙는 물체와 붙지 않는 물체 분류하기

구분	자석에 붙는 물체	자석에 붙지 않는 물체
예	철 못, 철이 든 빵 끈, 철 용수철, 철사, 클립, 바늘, 종이찍개 침 등	유리컵, 플라스틱 빨대, 고무지우개, 나무젓가락, 동전, 알루미늄 포일 등
정리	철로 된 물체임.	유리, 플라스틱, 나무, 알루미늄 등으로 된 물체임.

가위의 날은 자석에 붙고, 손잡이는 자석에 붙지 않아.

② 자석에 붙는 물체의 공통점 : 철로 만들어졌습니다.

③ 자석의 극 : 자석에서 철로 된 물체가 많이 붙는 부분

- 개수 : 두 개입니다.
- 위치 : 막대자석의 극은 양쪽 끝부분에 있습니다.
- 종류 : N극과 S극이 있습니다.

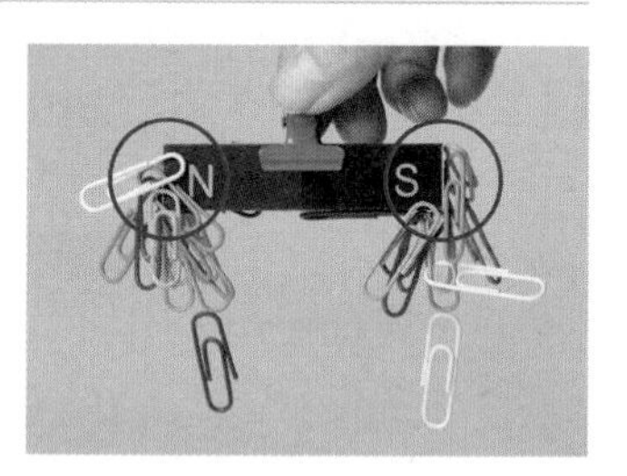

▲ 막대자석의 극

2 자석의 힘

① 자석과 철로 된 물체 사이에 작용하는 힘

- 자석과 철로 된 물체는 서로 끌어당깁니다.
- 철로 된 물체와 자석이 약간 떨어져 있어도 서로 끌어당길 수 있습니다.
- 철로 된 물체와 자석 사이에 얇은 플라스틱이나 종이가 있어도 자석은 철로 된 물체를 끌어당길 수 있습니다.

철로 된 물체로부터 자석이 멀어질 경우 자석이 철로 된 물체를 끌어당기는 힘은 조금씩 약해져.

② 자석을 이용한 생활용품

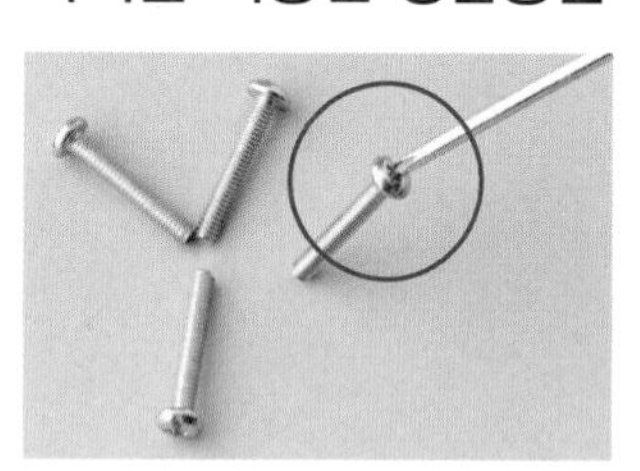
▲ 자석 드라이버

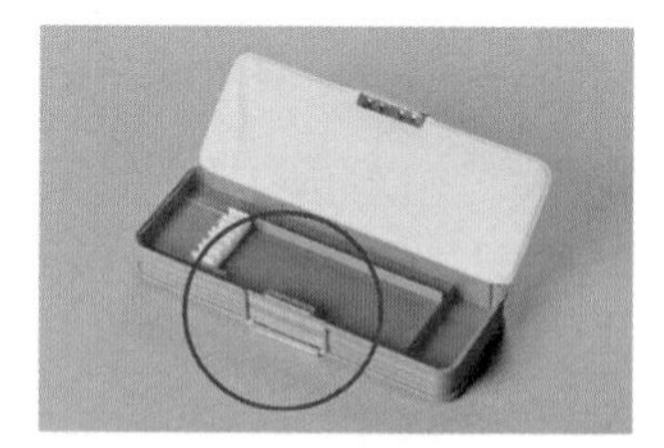
▲ 자석 필통

▲ 자석 클립 통

3 자석이 가리키는 방향

① 물에 띄운 막대자석과 나침반 바늘이 가리키는 방향 : 항상 북쪽과 남쪽을 가리킵니다.

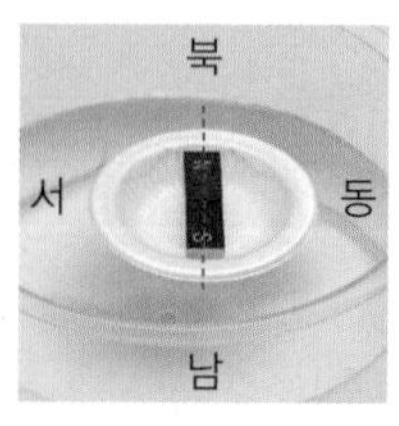

▲ 물에 띄운 막대자석

▲ 나침반

▲ 실에 매달아 공중에 띄운 막대자석

② 철로 된 물체로 나침반 만들기

1 막대자석의 극에 머리핀을 1분 동안 붙여 놓기
2 1 의 머리핀을 수수깡 조각에 꽂기
3 머리핀을 꽂은 수수깡 조각을 물에 띄우기
4 나침반 바늘이 가리키는 방향과 머리핀이 가리키는 방향 비교하기

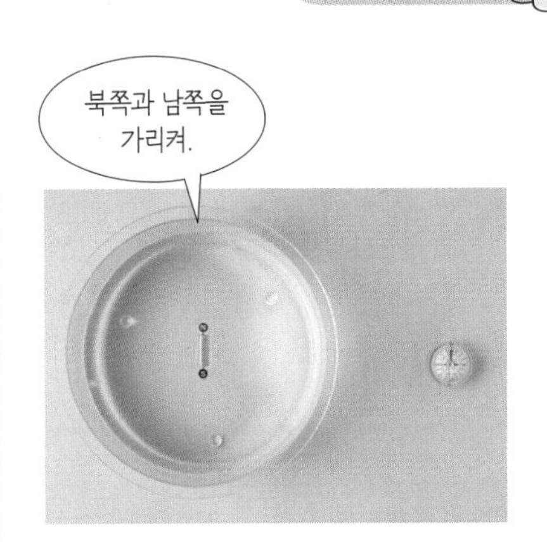

4 자석과 자석 사이에 작용하는 힘

① 자석과 자석 사이에 작용하는 힘

자석의 같은 극끼리 작용하는 힘	자석의 다른 극끼리 작용하는 힘
서로 밀어 냄.	서로 끌어당김.

② **자석 주위에 놓인 나침반 바늘의 움직임** : 나침반 바늘이 자석의 극을 가리킵니다.

▲ 막대자석 주위에 나침반을 놓았을 때

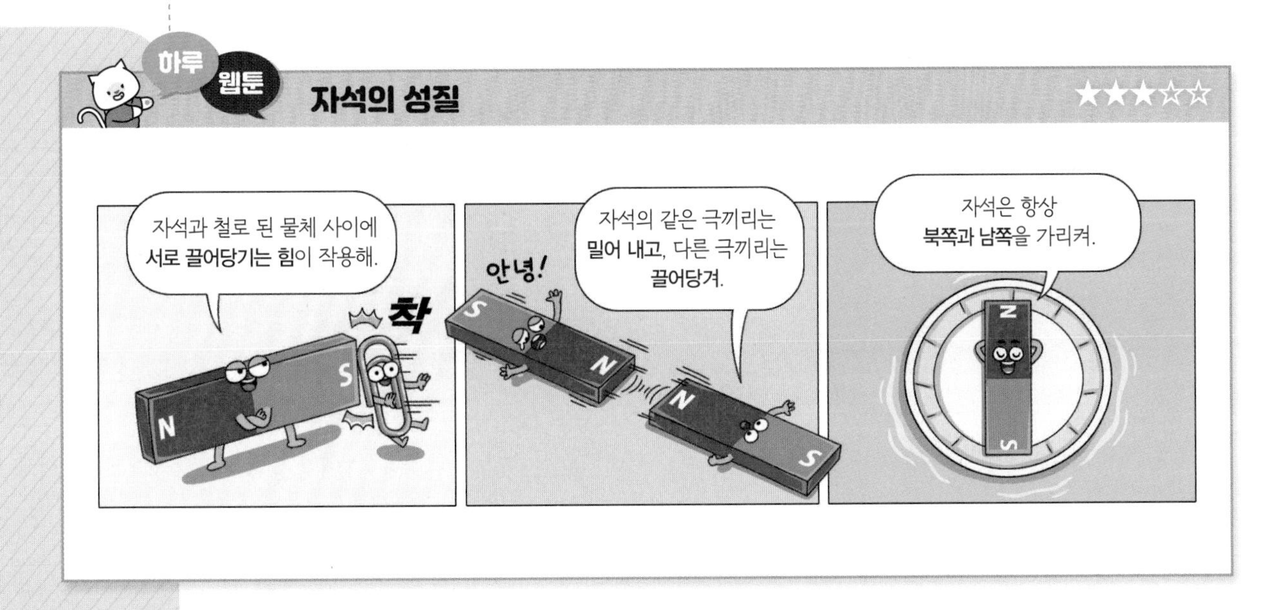

5일 3주 마무리하기

1일 자석

1 다음 중 자석을 대 보았을 때 자석에 붙는 물체는 어느 것입니까? (　　　　)

① 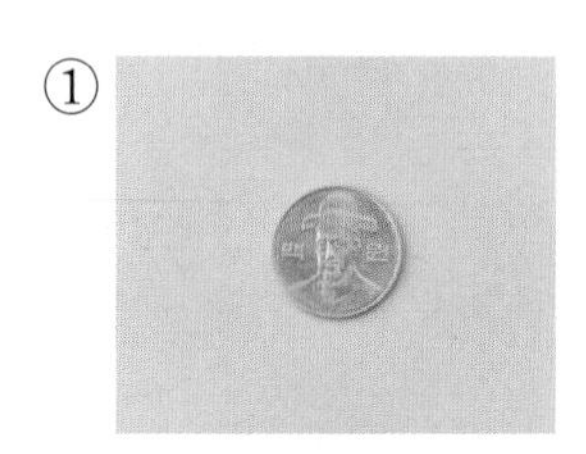
▲ 동전

② 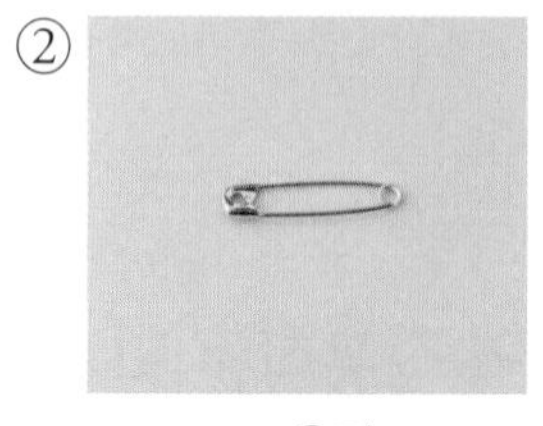
▲ 옷핀

③ 
▲ 유리컵

④ 
▲ 고무지우개

⑤ 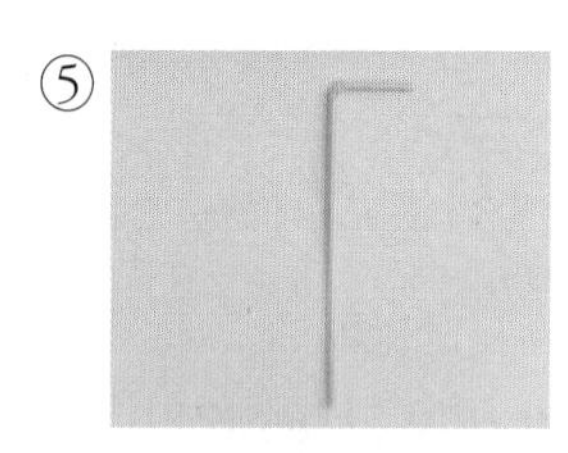
▲ 플라스틱 빨대

2 자석에 붙는 물체의 공통점으로 옳은 것을 보기에서 골라 기호를 쓰시오.

㉠ 철로 만들어졌습니다.	㉡ 금속으로 만들어졌습니다.
㉢ 자석의 성질을 띠고 있습니다.	㉣ 여러 가지 물질로 만들어졌습니다.

(　　　　　　　　　　)

3 다음은 막대자석을 클립이 든 종이 상자에 넣었다가 천천히 들어 올려 클립이 많이 붙는 부분을 관찰하는 실험입니다. 자석의 무엇을 찾는 실험인지 쓰시오.

(　　　　　　　　　　)

빠른 정답 보기
○ 정답과 풀이 11쪽

2일 자석의 힘

[4~5] 오른쪽은 막대자석으로 빵 끈 조각을 투명한 통의 윗부분까지 끌고 간 모습입니다. 물음에 답하시오.

서술형

4 오른쪽의 막대자석을 투명한 통의 윗부분에서 아주 조금 떨어뜨리면 빵 끈 조각은 어떻게 될지 쓰시오.

____

____

5 위의 4번에서 막대자석과 투명한 통의 윗부분 사이에 얇은 종이를 넣으면 빵 끈 조각은 어떻게 될지 바르게 설명한 것은 어느 것입니까? (　　　)

① 빵 끈 조각은 그대로 있다.
② 빵 끈 조각은 모두 바닥으로 떨어진다.
③ 빵 끈 조각이 투명한 통의 옆면으로 밀려난다.
④ 빵 끈 조각끼리 서로 밀어 내거나 끌어당긴다.
⑤ 빵 끈 조각 한두 개 정도만 붙어 있고 나머지는 바닥으로 떨어진다.

6 다음은 무엇을 이용한 생활용품인지 쓰시오.

자석 필통, 자석 클립 통, 자석 드라이버

(　　　　　　　　)

3일 자석이 가리키는 방향

7 다음 중 물에 띄운 막대자석에 대한 설명으로 옳은 것은 어느 것입니까? (　　　)

① 막대자석은 계속 빙글빙글 돈다.
② 막대자석은 동쪽과 남쪽을 가리킨다.
③ 막대자석은 북쪽과 서쪽을 가리킨다.
④ 막대자석은 일정한 방향을 가리킨다.
⑤ 물에 띄운 막대자석은 자석의 성질을 잃는다.

8 오른쪽과 같이 실에 매달아 공중에 띄운 막대자석을 보고, 물음에 답하시오.

(1) 실에 매달아 공중에 띄운 막대자석에서 N극이 가리키는 방향
: (　　　　　　　　　)쪽

(2) 실에 매달아 공중에 띄운 막대자석에서 S극이 가리키는 방향
: (　　　　　　　　　)쪽

9 다음 중 자석에 붙여 놓아 자석의 성질을 띠게 할 수 있는 것은 어느 것입니까? (　　　)

① 클립　② 빨대　③ 연필
④ 단추　⑤ 은박지

4일 자석과 자석 사이에 작용하는 힘

10 다음과 같이 막대자석 두 개를 마주 보게 하여 서로 가까이 가져갈 때 서로 밀어 내는 힘을 느꼈습니다. ㉠과 ㉡의 극을 바르게 나타낸 것은 어느 것입니까? (　　　)

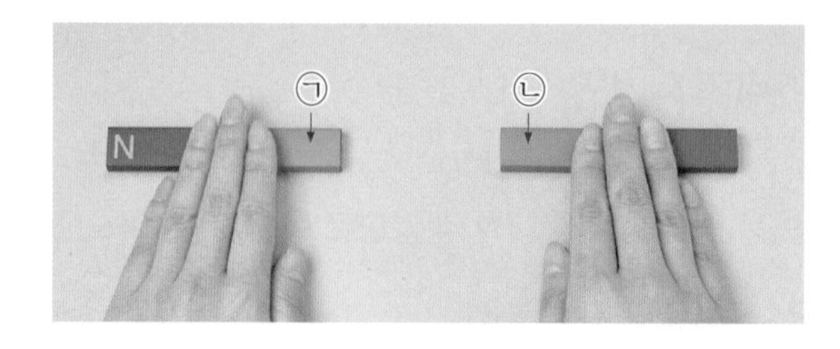

	㉠	㉡
①	N극	N극
②	N극	S극
③	S극	S극
④	S극	N극

⑤ 알 수 없다.

11 오른쪽은 나침반을 막대자석의 S극 주위에 놓은 모습입니다. 막대자석의 S극을 가리키는 나침반 바늘의 빨간색으로 표시된 부분은 무슨 극인지 쓰시오.

(　　　　　　　　　)

12 다음 중 자석의 성질에 대한 설명으로 옳지 않은 것은 어느 것입니까? (　　　　)

① 일정한 방향을 가리킨다.
② 철로 된 물체를 끌어당긴다.
③ 자석의 같은 극끼리 서로 밀어 낸다.
④ 자석의 다른 극끼리 서로 끌어당긴다.
⑤ 철로 된 물체를 자석의 성질을 띠게 할 수 없다.

13 다음 십자말풀이를 해 보세요.

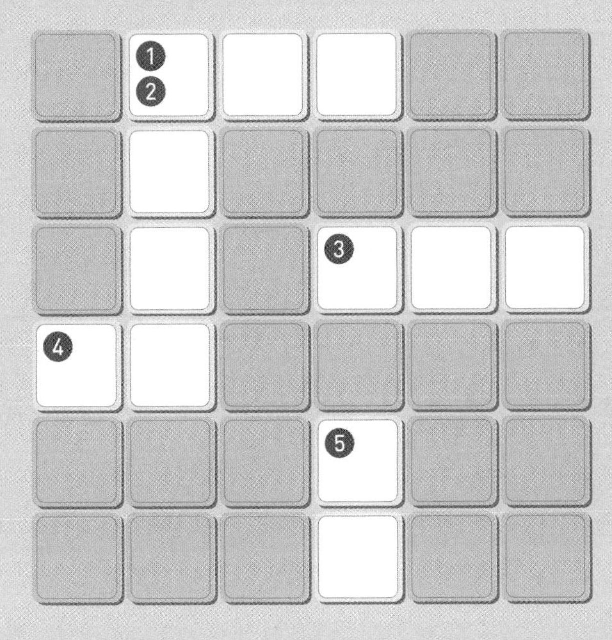

가로

❶ 자석이 아닌 물체가 자석의 성질을 띠게 되는 것
❸ 자석의 성질을 이용하여 북쪽과 남쪽을 찾을 수 있도록 만든 도구
❹ 북쪽을 가리키는 자석의 극

세로

❷ 자석에서 철로 된 물체가 많이 붙는 부분. ○○의 ○
❺ 나침반에서 자석으로 만들어진 부분. 나침반 ○○

맞은 개수 /10개

1 다음은 손잡이가 플라스틱으로 된 가위입니다. 자석에 붙는 부분과 자석에 붙지 않는 부분은 어디인지 각각 기호를 쓰시오.

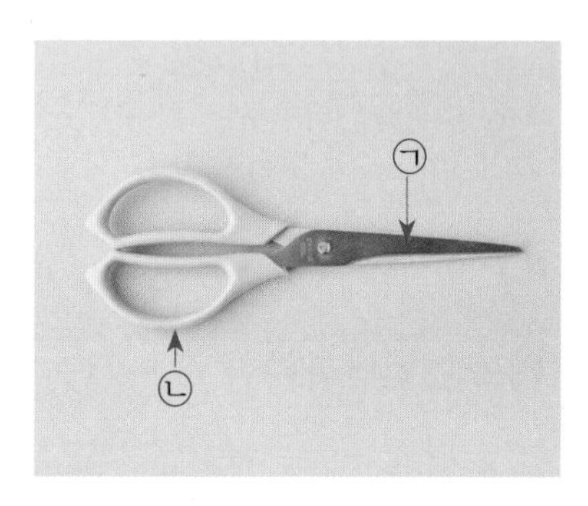

(1) 자석에 붙는 부분 (　　　　　)
(2) 자석에 붙지 않는 부분 (　　　　　)

2 다음과 같이 막대자석을 클립이 든 종이 상자에 넣었다가 천천히 들어 올릴 때 클립이 많이 붙는 부분을 바르게 나타낸 것은 어느 것입니까? (　　　)

① 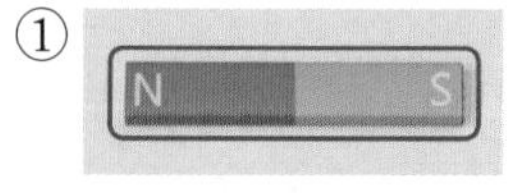
② 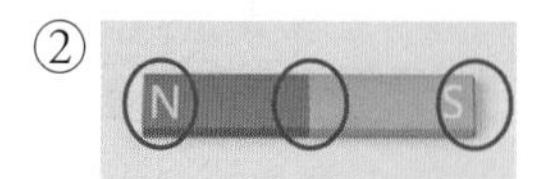
③ 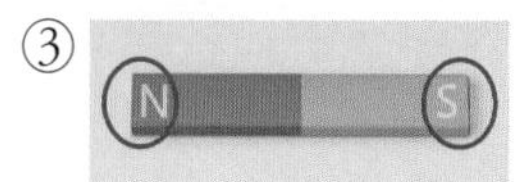
④ 

3 오른쪽은 막대자석으로 투명한 통에 들어 있는 빵 끈 조각을 통의 윗부분까지 끌고 간 모습입니다. 이에 대해 옳게 말한 친구의 이름을 쓰시오.

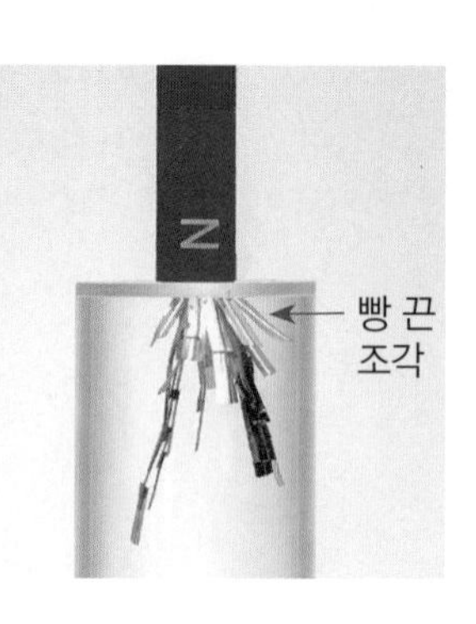

도기: 통의 윗부분에 붙은 빵 끈 조각은 시간이 지나면 하나씩 떨어져.

듬이: 막대자석을 조금 떨어뜨리면 빵 끈 조각은 통의 윗부분에서 떨어져.

버리: 막대자석을 조금씩 더 떨어뜨리면 빵 끈 조각은 윗부분에서 떨어져.

(　　　　　　　　　　)

4 다음 중 자석의 극에 대한 설명으로 옳지 않은 것은 어느 것입니까? (　　　)

① 자석의 극은 두 개다.
② 고리 자석은 극이 없다.
③ 철로 된 물체가 많이 붙는다.
④ 자석의 극은 N극과 S극이 있다.
⑤ 막대자석의 극은 양쪽 끝부분에 있다.

5 다음은 드라이버의 끝부분에 나사를 고정시키기 편리하게 만든 자석 드라이버입니다. 드라이버의 끝부분은 무엇으로 되어 있는지 쓰시오.

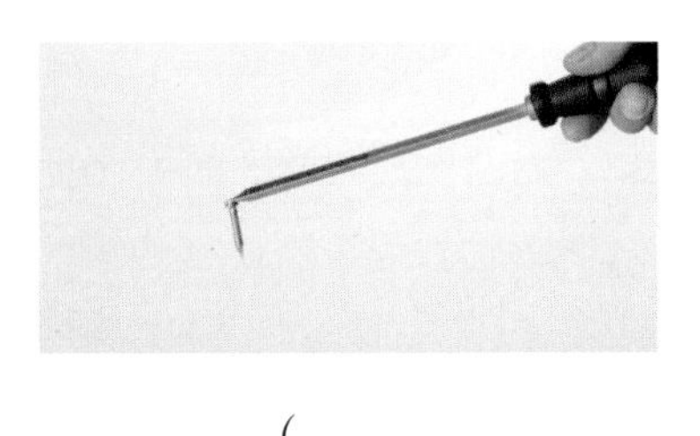

(　　　　　　　　)

6 다음은 플라스틱 접시에 막대자석을 올려놓고 물에 띄운 후 접시의 움직임이 멈추었을 때의 모습입니다. ㉠과 ㉡이 가리키는 방향을 바르게 나타낸 것은 어느 것입니까? (　　　)

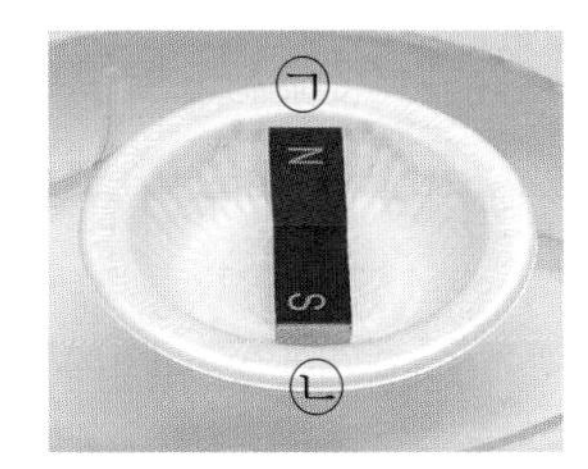

	㉠	㉡		㉠	㉡
①	북	남	②	남	북
③	동	서	④	서	동

⑤ 알 수 없다.

7 다음과 같이 막대자석의 극에 1분 동안 붙여 놓은 머리핀에 대한 설명으로 옳은 것을 두 가지 고르시오. (　　,　　)

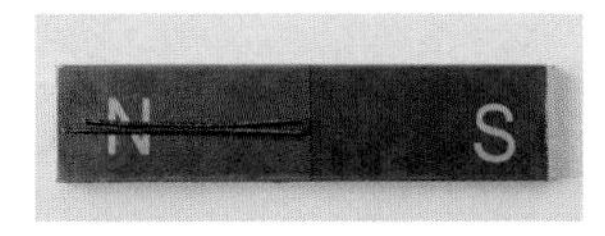

① 클립을 밀어 낸다.
② 자석의 성질을 띤다.
③ 아무런 변화가 없다.
④ 머리핀이 공중에 뜬다.
⑤ 머리핀으로 나침반을 만들 수 있다.

8 다음 중 자석과 자석 사이에 밀어 내는 힘이 작용하는 경우는 '밀', 끌어당기는 힘이 작용하는 경우는 '끌'이라고 쓰시오.

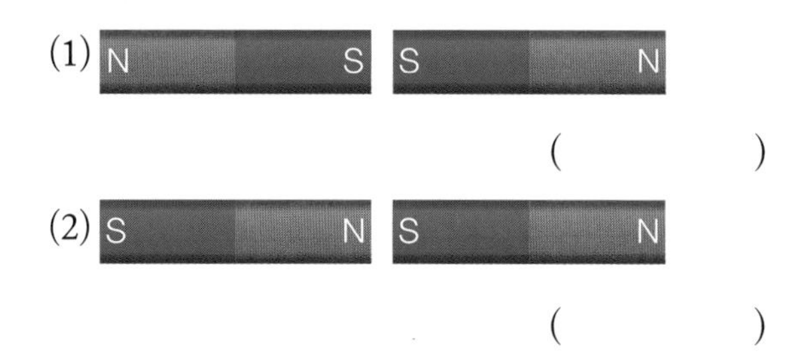

(1) (　　　　)

(2) (　　　　)

9 다음과 같이 나침반에 가까이 했던 막대자석의 N극을 다시 멀어지게 할 때 나침반의 모습으로 옳은 것의 기호를 쓰시오.

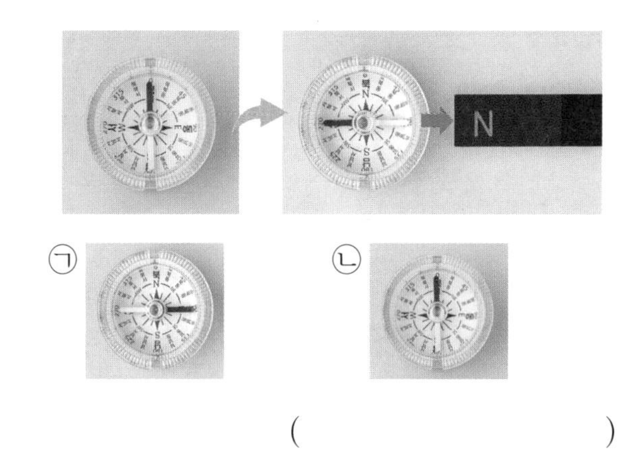

(　　　　　　)

10 보기에서 자석의 성질로 옳지 않은 것을 골라 기호를 쓰시오.

> **보기**
> ㉠ 항상 일정한 방향을 가리킵니다.
> ㉡ 금속으로 된 물체를 끌어당깁니다.
> ㉢ 자석과 자석 사이에는 밀어 내거나 끌어당기는 힘이 작용합니다.

(　　　　　　)

생활 속 과학

자석의 성질을 이용한 나침반의 원리를 알고 나침반이 가리키는 방향을 살펴봅니다.

동·서·남·북 방향을 알려주는 나침반의 원리

옛날 사람들은 자석이 항상 일정한 방향을 가리킨다는 것을 발견하고 바로 이러한 자석의 성질을 이용해 나침반을 만들어 방향을 찾을 때 사용하였습니다.

자석은 왜 항상 일정한 방향을 가리키는 걸까요?
지구는 커다란 자석과 같이 지구 주위에 커다란 *자기장을 만들어요.
그래서 지구의 북극 쪽은 S극의 성질을, 남극 쪽은 N극의 성질을 띠고 있다고 해요.

*자기장은 자석과 자석 또는 자석과 철로 된 물체 사이에 작용하는 힘이 미치는 공간을 말해.

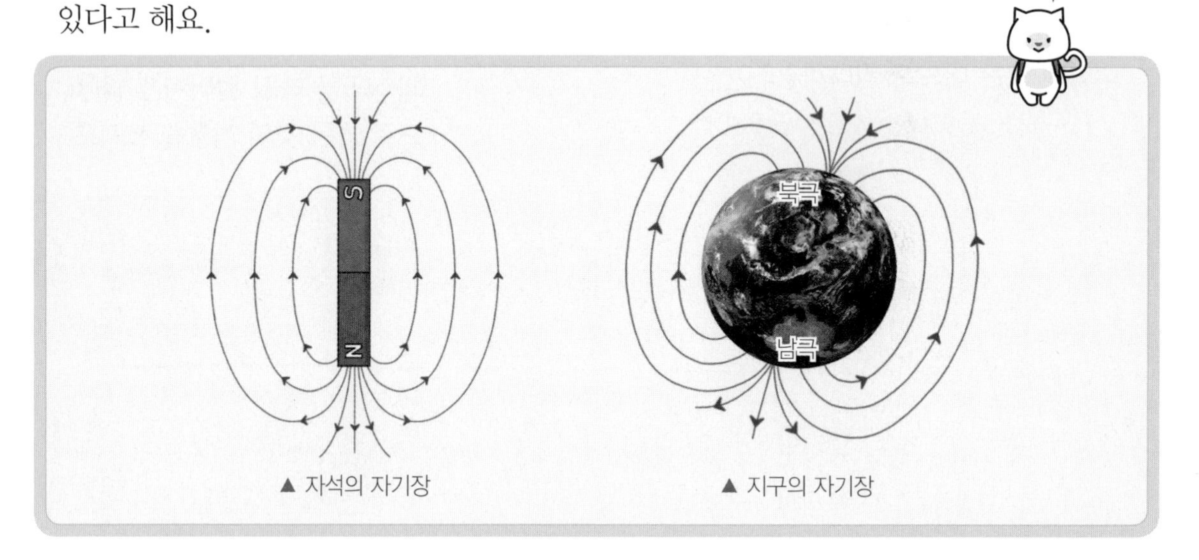

▲ 자석의 자기장 ▲ 지구의 자기장

막대자석을 물에 띄우면 자석의 N극은 지구의 북극으로 끌리고, 자석의 S극은 지구의 남극으로 끌리는 힘에 의해 막대자석이 돌다가 북쪽과 남쪽을 가리키며 멈추게 돼요.
그리고 나침반 바늘도 자석이기 때문에 항상 북쪽과 남쪽을 가리키는 거예요.

▲ 물에 띄운 자석

▲ 나침반

정답과 풀이 12쪽

1 옛날 탐험가가 나침반을 가지고 세계 일주를 하려고 해요. 지구 위의 나침반 그림에 나침반 바늘을 그려 완성하세요. (단, 나침반 바늘의 N극은 빨간색으로 표시하세요.)

사고 쑥쑥

자석에 붙는 물체를 통해 자석에 붙는 물체의 특징을 살펴봅니다.

2 다음은 우리 반 교실의 모습입니다. 친구들이 교실에 있는 여러 가지 물체에 자석을 갖다 대 보고 있어요.

(1) 그림에서 자석에 붙는 물체를 찾은 친구에 ○표를 하세요.

(2) 그림에서 ○표한 친구들이 찾은 물체는 공통적으로 어떤 물질로 만들어졌는지 쓰세요.

( )

자석의 극 색칠하기를 통해 자석의 N극과 S극을 살펴봅니다.

3 자석에는 두 개의 극이 있어요. 자석의 N극은 주로 ○○색으로 표시하고, 자석의 S극은 주로 □□색으로 표시해요. 다음 막대자석과 말굽자석 그림에 색칠할 알맞은 색깔의 크레파스를 골라 번호를 쓰고, 자석의 극을 각각 색칠하세요.

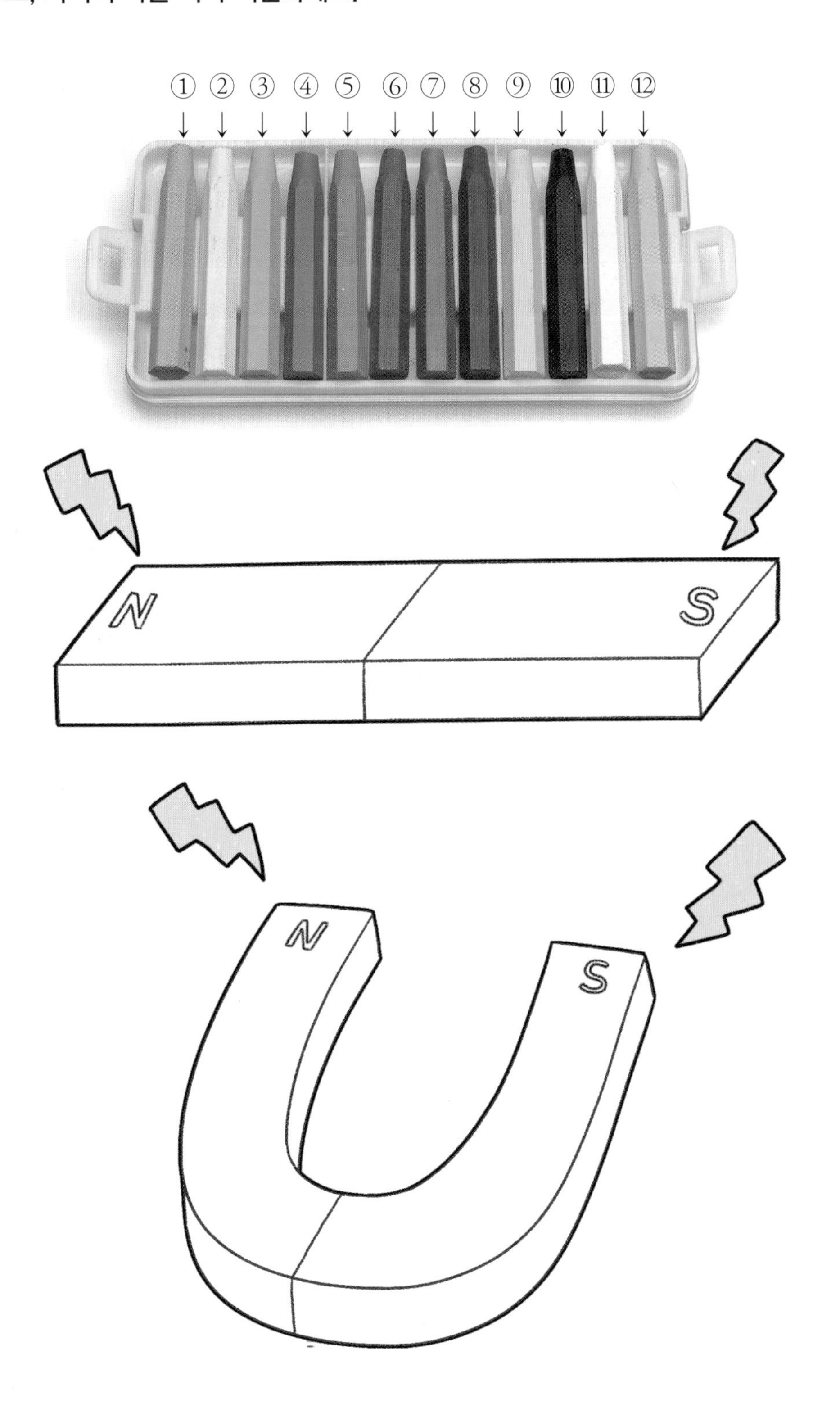

창의·융합·코딩

논리 탄탄

순서도를 통해 자석과 자석 사이에 작용하는 힘을 살펴봅니다.

4 자석과 자석 사이에 어떤 힘이 작용할까요? 다음 순서도에서 문제를 해결하는 과정에 맞게 길을 따라가며 표시하고 답을 쓰세요.

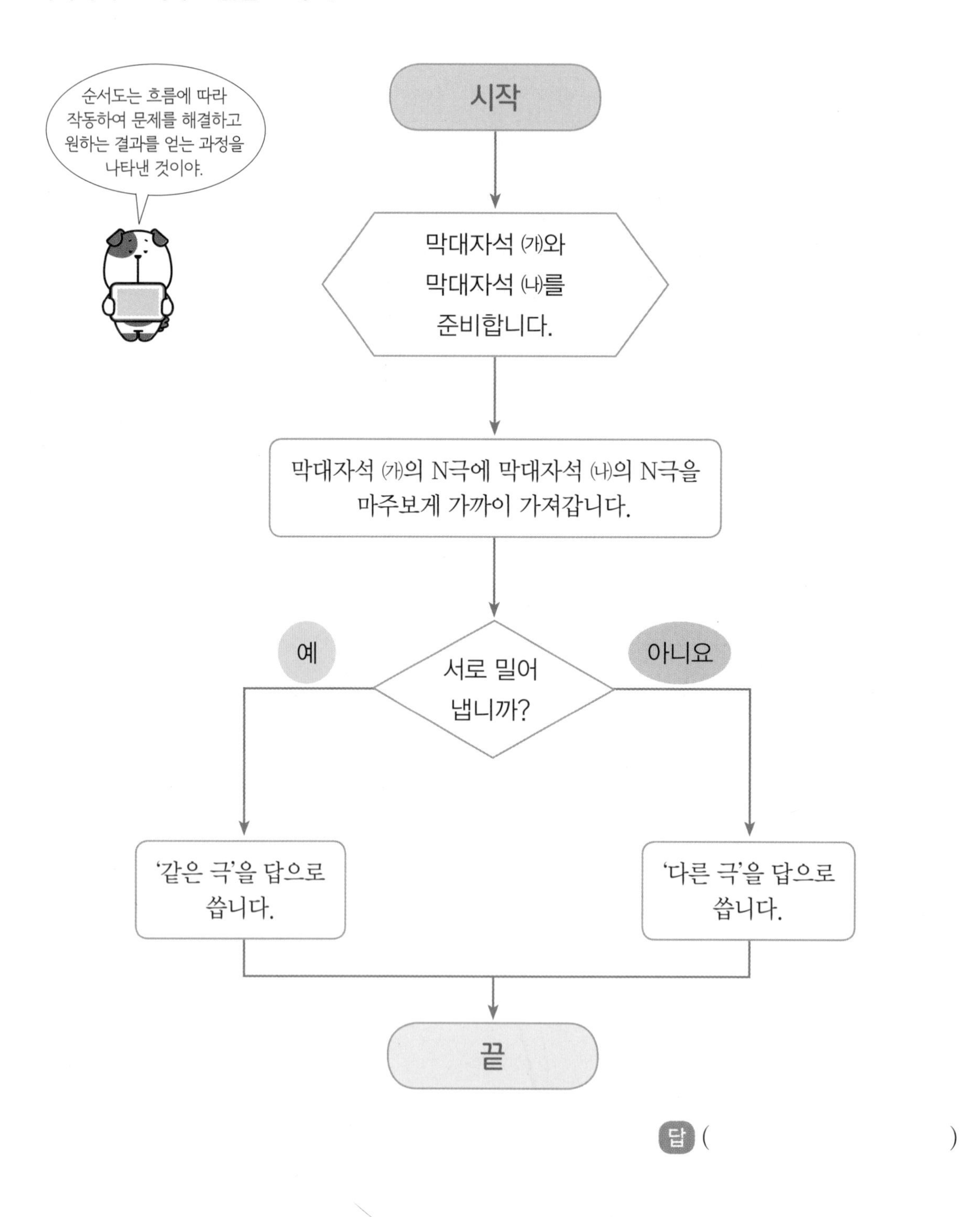

답 (   )

고리 자석으로 만든 탑을 통해 자석의 극을 확인하는 방법을 살펴봅니다.

5 다음의 힌트를 보고, 암호가 무엇인지 쓰세요.

힌트

- 빨간색 고리 자석(㉡)의 윗면에 막대자석의 빨간색으로 표시된 극을 가까이 가져갔더니 서로 밀어 냅니다.

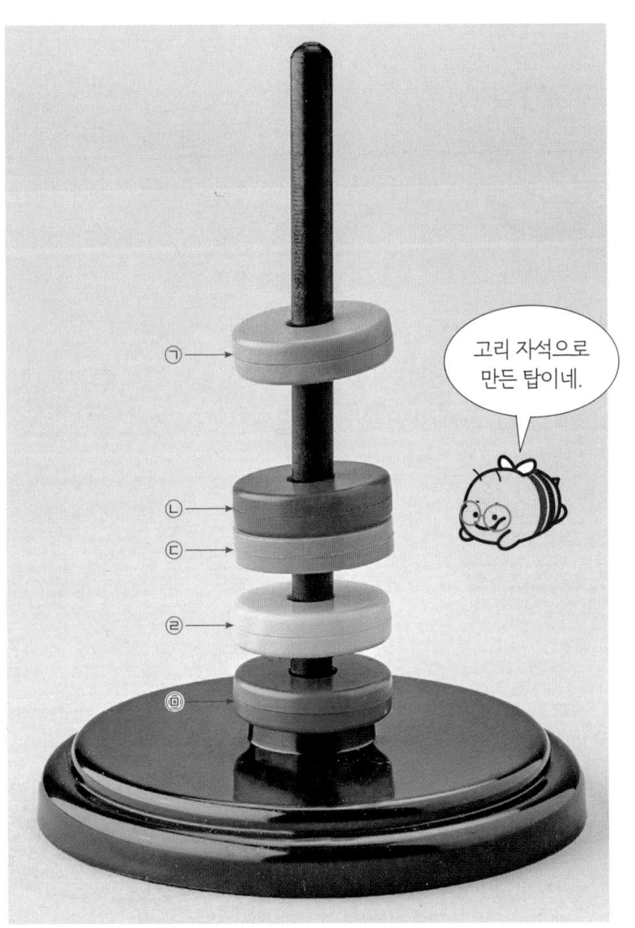

암호

- 첫 번째 □ : 주황색 고리 자석(㉠)의 윗면의 극의 영어입니다.
- 두 번째 □ : 분홍색 고리 자석(㉢)의 윗면의 극의 영어입니다.
- 세 번째 □ : 파란색 고리 자석(㉤)의 아랫면의 극의 영어입니다.

암호 | | |

3주

4주 지구의 모습

이번 주에는 무엇을 공부할까? ①

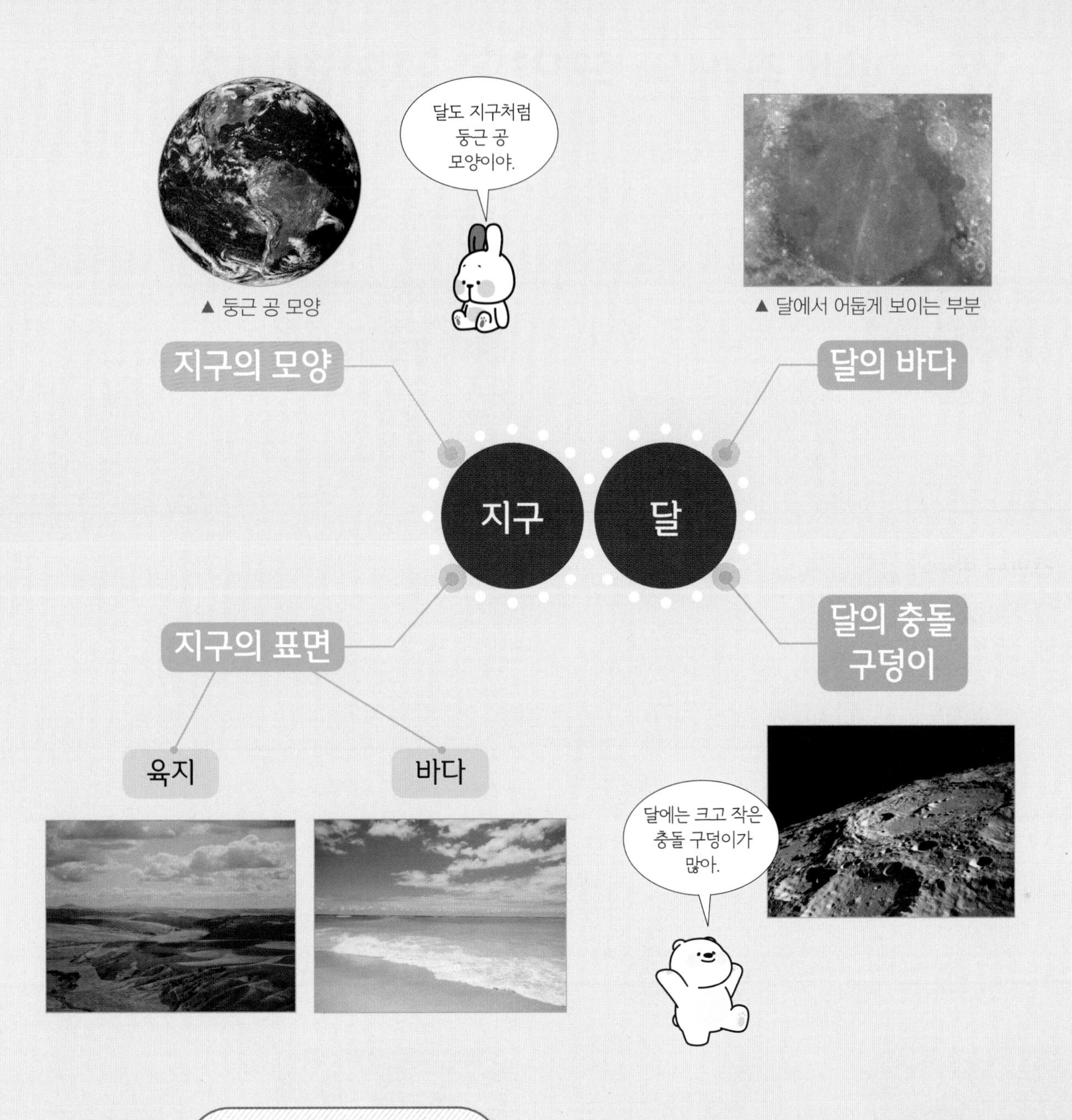
달도 지구처럼 둥근 공 모양이야.
▲ 둥근 공 모양
▲ 달에서 어둡게 보이는 부분
지구의 모양
달의 바다
지구
달
지구의 표면
달의 충돌 구덩이
육지
바다
달에는 크고 작은 충돌 구덩이가 많아.

지구 표면에는 다양한 모습이 있다는 것, 지구와 달의 공통점과 차이점에 대해서는 꼭 기억해!

핵심 용어

4주 이번 주에는 무엇을 공부할까? ❷

육지

陸 地

뭍 육 땅 지

뜻 **강이나 바다와 같이 물이 있는 곳을 제외한 지구의 표면**

예 지구의 **육지**에는 산, 들, 사막 등이 있으며, 여러 가지 생물들이 살고 있어요.

바다

뜻 **지구의 표면에서 육지를 제외한 부분**

예 지구 표면 전체를 10이라고 한다면 **바다**가 차지하는 면적은 7 정도예요.

공기

空 氣

빌 공 기운 기

뜻 **지표면 부근에서 지구를 둘러싸고 있는 기체**

예 눈에 보이지 않지만, **공기**가 있어서 생물이 살 수 있어요.

풍력 발전

風 力 發 電

바람 풍 힘 력 나타날 발 전기 전

뜻 **바람의 힘을 이용해 발전기를 돌려 전기 에너지를 생산하는 방법**

예 강원도 태백시에 있는 산에 올라가면 **풍력 발전**소를 볼 수 있어요.

지구의 모습과 관련된 다양한 용어가 있어.
특히 달의 바다, 달의 충돌 구덩이 등의 용어는 꼭 기억해!

편평하다

扁 平
납작할 편 / 평평할 평

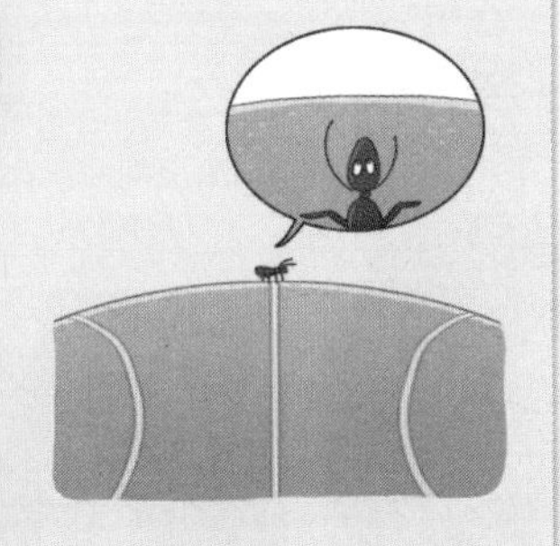

뜻 넓고 평평하다.

예 큰 공 위에 있는 개미에게는 큰 공이 **편평**하게 보여요.

달의 바다

뜻 달 표면에서 어둡게 보이는 곳

예 지구의 바다에는 물이 있지만, **달의 바다**에는 물이 없어요.

달의 충돌 구덩이

衝 突
부딪칠 충 / 갑자기 돌

뜻 우주 공간을 떠돌던 돌덩이가 달 표면에 떨어져서 생긴 구덩이

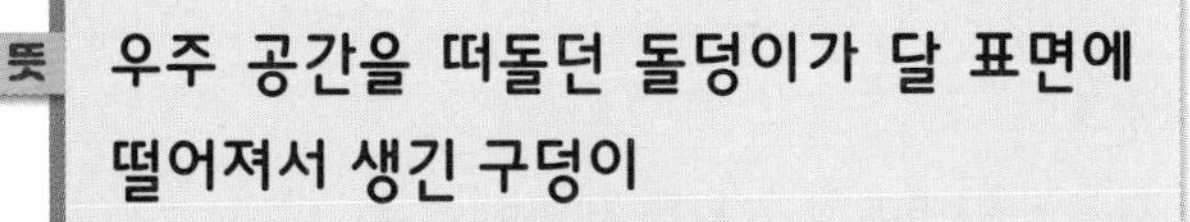

예 **충돌 구덩이**의 크기는 큰 것에서부터 작은 것까지 다양해요.

4주

1일 지구의 표면

지구의 표면에는 다양한 모습이 있다고?

용어 체크

육지

강이나 바다와 같이 물이 있는 곳을 제외한 지구의 표면

예 산과 들은 ❶ [ ] 에 해당한다.

바다

지구의 표면에서 육지를 제외한 부분

예 태평양, 대서양, 인도양, 북극해, 남극해 등은 ❷ [ ] 이다.

정답 ❶ 육지 ❷ 바다

육지와 바다의 넓이가 다르다고?

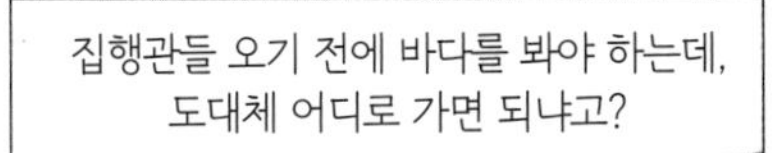

용어 체크

북반구

적도를 경계로 지구를 둘로 나누었을 때의 북쪽 부분

예 지구 전체 중에서 육지는 남반구보다 ❶ ________ 에 더 많이 위치해 있다.

남반구

적도를 경계로 지구를 둘로 나누었을 때의 남쪽 부분

예 호주와 뉴질랜드는 ❷ ________ 에 위치해 있는 나라이다.

정답 ❶ 북반구 ❷ 남반구

1일 개념 익히기

1 지구 표면의 모습은 어떠할까?

우리나라에서 볼 수 있는 모습

지구 표면에서는 다양한 모습을 볼 수 있어.

세계 여러 곳에서 볼 수 있는 모습

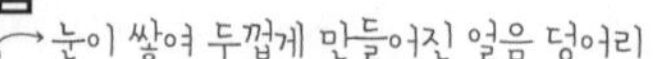

지구의 표면에서는 산, 들, 강, 호수, ❶(바다 / 은하수) 등을 볼 수 있습니다.

2 육지와 바다는 무엇일까?

육지
강이나 바다와 같이 물이 있는 곳을 제외한 지구의 표면

바다
지구 표면에서 육지를 제외한 부분

지구의 표면은 크게 육지와 ❷(섬 / 바다)(으)로 나눌 수 있습니다.

3 육지와 바다는 어떤 점이 다를까?

육지와 바다의 넓이 비교

지구 표면의 많은 부분이 바다로 덮여 있어.

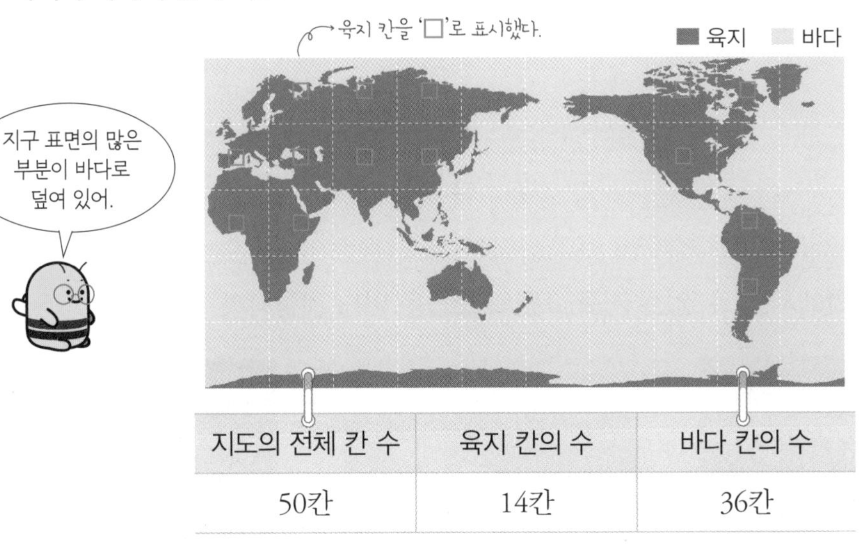

육지는 지구 전체에서 남반구보다 북반구에 더 많이 위치해 있어.

지도의 전체 칸 수	육지 칸의 수	바다 칸의 수
50칸	14칸	36칸

육지의 물맛과 바닷물 맛

육지와 바다의 차이점

- 바다가 육지보다 넓음.
- 육지와 바다에 사는 생물이 다름.
- 바닷물이 육지의 물보다 훨씬 많음.

바다는 육지보다 ❸(넓 / 좁)고, 바닷물은 육지의 물보다 짭니다.

정답 ❶ 바다 ❷ 바다 ❸ 넓

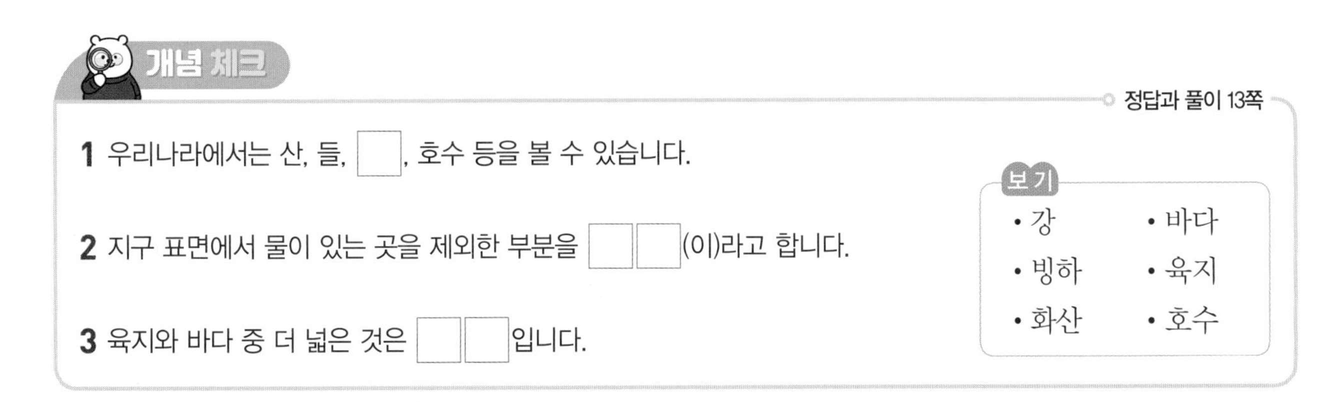

개념 체크

정답과 풀이 13쪽

1 우리나라에서는 산, 들, □, 호수 등을 볼 수 있습니다.

2 지구 표면에서 물이 있는 곳을 제외한 부분을 □□(이)라고 합니다.

3 육지와 바다 중 더 넓은 것은 □□입니다.

보기
- 강
- 바다
- 빙하
- 육지
- 화산
- 호수

개념 확인하기

정답과 풀이 13쪽

1 다음 중 스마트 기기를 이용해 지구 표면의 다양한 모습을 찾아볼 때 검색할 용어가 아닌 것은 어느 것입니까? (　　　　)

① 강　② 계곡　③ 매점
④ 빙하　⑤ 화산

2 다음 중 우리나라에서 볼 수 없는 지구 표면의 모습은 어느 것입니까? (　　　　)

①

② 강

③

④ 바다

⑤

3 다음 보기에서 오른쪽 지구 표면의 모습에 대한 설명으로 옳은 것을 골라 기호를 쓰시오.

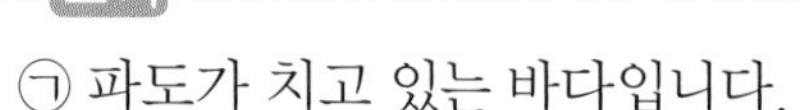

㉠ 파도가 치고 있는 바다입니다.
㉡ 편평하고 넓게 트인 땅인 들입니다.
㉢ 땅속 깊은 곳의 물질이 뿜어져 나오는 화산입니다.

(　　　　　　　　)

4 다음은 지구 표면을 정리한 것입니다. ㉠, ㉡에 들어갈 알맞은 말을 각각 쓰시오.

지구 표면	㉠	강이나 바다와 같이 물이 있는 곳을 제외한 지구의 표면
	㉡	지구 표면에서 ㉠을 제외한 부분

㉠ (　　　　　　　　) ㉡ (　　　　　　　　)

5 다음은 지도(전체 칸 수 : 50칸)에서 육지 칸의 수와 바다 칸의 수를 세어 비교한 것입니다. 지구의 육지와 바다의 넓이를 >, <를 이용하여 비교하시오.

육지의 넓이 ( ) 바다의 넓이

6 다음 중 육지와 바다의 차이점에 대한 설명으로 옳은 것은 어느 것입니까? ( )

① 육지의 물은 짜다.
② 바닷물은 짜지 않다.
③ 육지가 바다보다 더 넓다.
④ 육지와 바다에 사는 생물이 다르다.
⑤ 육지의 물이 바닷물보다 훨씬 많다.

똑똑한 하루 퀴즈

7 다음 □ 안에 들어갈 알맞은 낱말을 말 상자에서 찾아 모두 ○표를 하세요. 말 상자의 낱말은 가로, 세로, 대각선에 숨어 있어요.

바	★	표	★
닷	면	바	빙
물	다	★	하
★	육	지	★

1. 우리나라에서는 눈이 쌓여 두껍게 만들어진 얼음 덩어리인 □□를 볼 수 없음.
2. 물이 있는 곳을 제외한 지구의 표면. □□
3. 지구 표면에서 육지를 제외한 부분. □□
4. 지구 □□의 많은 부분이 바다로 덮여 있음.
5. □□□은 사람이 마시기에 적당하지 않음.

4주

2일 지구의 공기

만약에 공기가 없다면 무슨 일이 일어날까?

용어 체크

공기

지표면 부근에서 지구를 둘러싸고 있는 기체

예 ❶ [ ] 는 여러 가지 기체가 섞여 있는 혼합물이다.

산소

사람의 호흡과 동식물의 생활에 없어서는 안 되는 기체로, 색깔과 냄새가 없음.

예 잠수부는 물속에 들어갈 때 ❷ [ ] 통을 메고 들어간다.

정답 ❶ 공기 ❷ 산소

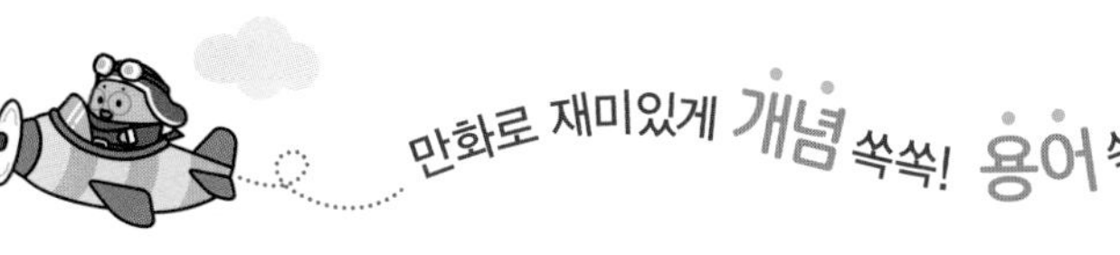

풍력 발전이 공기를 이용한 것이라고?

용어 체크

풍력 발전

바람의 힘을 이용해 발전기를 돌려 전기 에너지를 생산하는 방법

예 풍력 발전소는 높은 산이나 바닷가 등과 같이 ❶ [ ] 이 많이 부는 곳에 설치한다.

정답 ❶ 바람

2일 개념 익히기

1 공기는 어떻게 느낄 수 있을까?

생활 속에서 공기와 관련된 경험

▲ 풍선 불기

▲ 비눗방울 놀이

▲ 선풍기 바람 쐬기

▲ 부채질

▲ 달리기

▲ 입김 불기

공기 느껴보기

지퍼 백에 공기 담기	지퍼 백을 만져 보기	지퍼 백을 열고 누르기
지퍼 백이 부풀어 커짐.	손으로 누르면 살짝 들어가고 말랑말랑함.	공기가 빠져나오는 것을 느낄 수 있음.

✔ **풍선 불기, 비눗방울 놀이, 선풍기 바람 쐬기** 등을 통해 [1](물 / 공기)을/를 느낄 수 있습니다.

2 공기는 어떻게 이용될까?

공기의 이용

▲ 비행기가 날 수 있음.

▲ 열기구가 날 수 있음.

▲ 바람을 이용하여 연날리기를 함.

▲ 풍력 발전소에서 바람의 힘을 이용해 전기를 얻음.

▲ 바람의 힘을 이용하여 요트가 움직임.

▲ 튜브에 공기를 넣어 부풀려 이용함.

공기의 역할

공기가 없을 때 생길 수 있는 일

- 바람이 불지 않을 것임.
- 생물이 살아갈 수 없음.
- 구름이 없고 비가 오지 않을 것임.

공기의 역할은 생물이 숨을 쉬고 살 수 있도록 해 주는 것이야.

사람들은 공기를 이용하여 연날리기를 하거나 해수욕장에서 ❷(튜브 / 자동차)를 타기도 합니다.

정답 ❶ 공기 ❷ 튜브

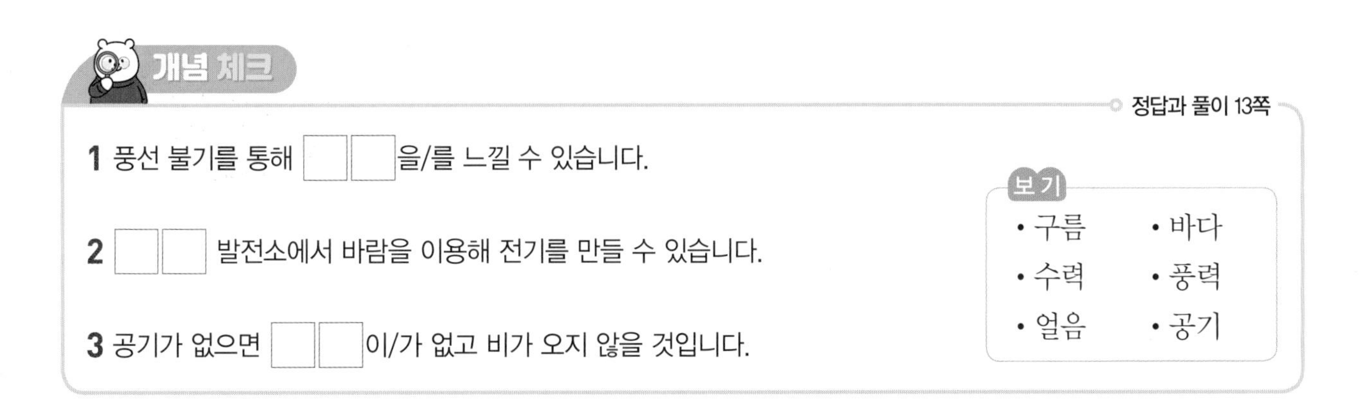

개념 체크

정답과 풀이 13쪽

1 풍선 불기를 통해 ☐☐을/를 느낄 수 있습니다.

2 ☐☐ 발전소에서 바람을 이용해 전기를 만들 수 있습니다.

3 공기가 없으면 ☐☐이/가 없고 비가 오지 않을 것입니다.

보기
- 구름
- 바다
- 수력
- 풍력
- 얼음
- 공기

정답과 풀이 13쪽

1 다음 중 공기를 이용하는 모습이 아닌 것은 어느 것입니까? (　　　)

①

▲ 풍선 불기

②

▲ 세수하기

③

▲ 부채질

④

▲ 비눗방울 놀이

2 오른쪽과 같이 공기를 담은 지퍼 백을 손으로 눌렀을 때의 느낌으로 옳은 것은 어느 것입니까? (　　　)

① 불처럼 뜨겁다.
② 얼음처럼 차갑다.
③ 딱딱한 느낌이 든다.
④ 말랑말랑한 느낌이 든다.
⑤ 손이 지퍼 백에 붙어 떨어지지 않는다.

3 오른쪽은 공기가 든 지퍼 백의 입구를 살짝 열어서 얼굴을 가져다 대고 지퍼 백을 누르는 모습입니다. 이 결과로 옳은 것을 다음 보기에서 골라 기호를 쓰시오.

보기

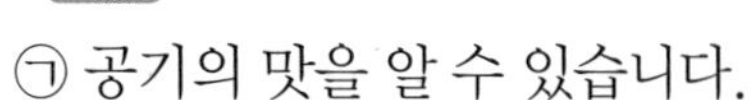
㉠ 공기의 맛을 알 수 있습니다.
㉡ 공기가 노란색인 것을 알 수 있습니다.
㉢ 공기가 빠져나오는 것을 느낄 수 있습니다.

(　　　　　　　)

4 다음은 공기가 없을 때 생길 수 있는 일에 대한 설명입니다. ㉠, ㉡에 들어갈 알맞은 말을 각각 쓰시오.

> 공기가 없으면 [㉠]이/가 살아갈 수 없게 되고, 바람이 불지 않고 [㉡]이/가 없으며 비가 오지 않게 될 것입니다.

㉠ (　　　　　　　　) ㉡ (　　　　　　　　)

집중 연습 문제 공기의 이용

5 다음 중 공기를 이용하는 경우를 골라 기호를 쓰시오.

▲ 지하철

▲ 연날리기

(　　　　　　　　)

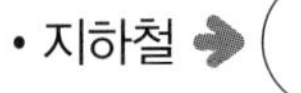

6 다음 공기를 이용하는 경우에 대한 설명에서 □ 안에 공통으로 들어갈 알맞은 말을 쓰시오.

▲ [　　]의 힘을 이용하여 요트가 움직임.

▲ 풍력 발전소에서 [　　]의 힘을 이용해 전기를 얻음.

(　　　　　　　　)

요트가 나아갈 때, 풍력 발전기의 날개가 돌아갈 때 필요한 것이 무엇인지 생각해 봐.

3일 지구와 달의 모습

달에서 어둡게 보이는 부분은 무엇일까?

용어 체크

편평하다

넓고 평평하다.

예 들 위에 올라서니 ❶ [ ] 한 밭이 펼쳐져 있다.

달의 바다

달 표면에서 어둡게 보이는 곳

예 달의 ❷ [ ] 에는 실제로 물이 있지 않다.

정답 ❶ 편평 ❷ 예 바다, 표면 등

달 표면에 있는 울퉁불퉁한 구덩이

용어 체크

달의 충돌 구덩이

우주 공간을 떠돌던 돌덩이가 달 표면에 떨어져서 생긴 구덩이

예 달 표면에는 충돌 ❶ [ ] 가 헤아릴 수 없을 만큼 많다.

정답 ❶ 구덩이

3일 개념 익히기

1 지구는 어떤 모양일까?

실험 동영상

마젤란 탐험대가 세계 일주를 한 뱃길 살펴보기

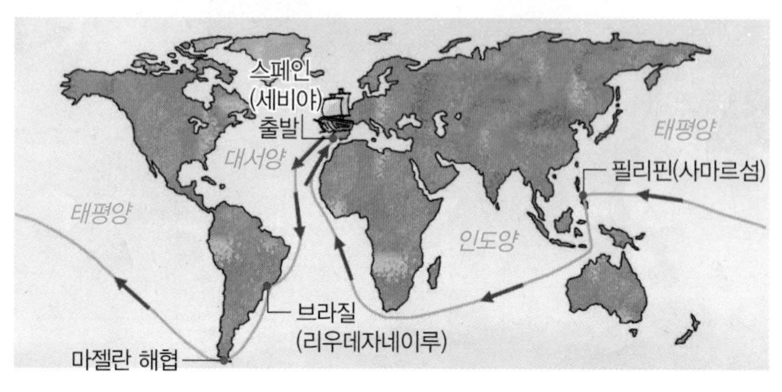

마젤란 탐험대의 세계 일주 따라가기

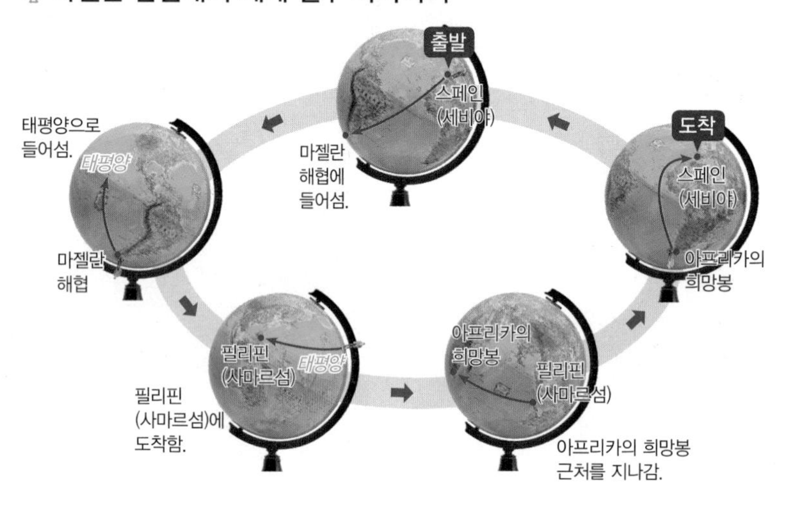

지구의 모양

지구의 모양

- 지구는 둥근 공 모양임.
- 지구가 우리에게 편평하게 보이는 까닭은 사람의 크기에 비해 지구가 매우 크기 때문임.

우리가 사는 지구는 ❶(네모 / 둥근 공) 모양입니다.

2 달은 어떤 모습일까?

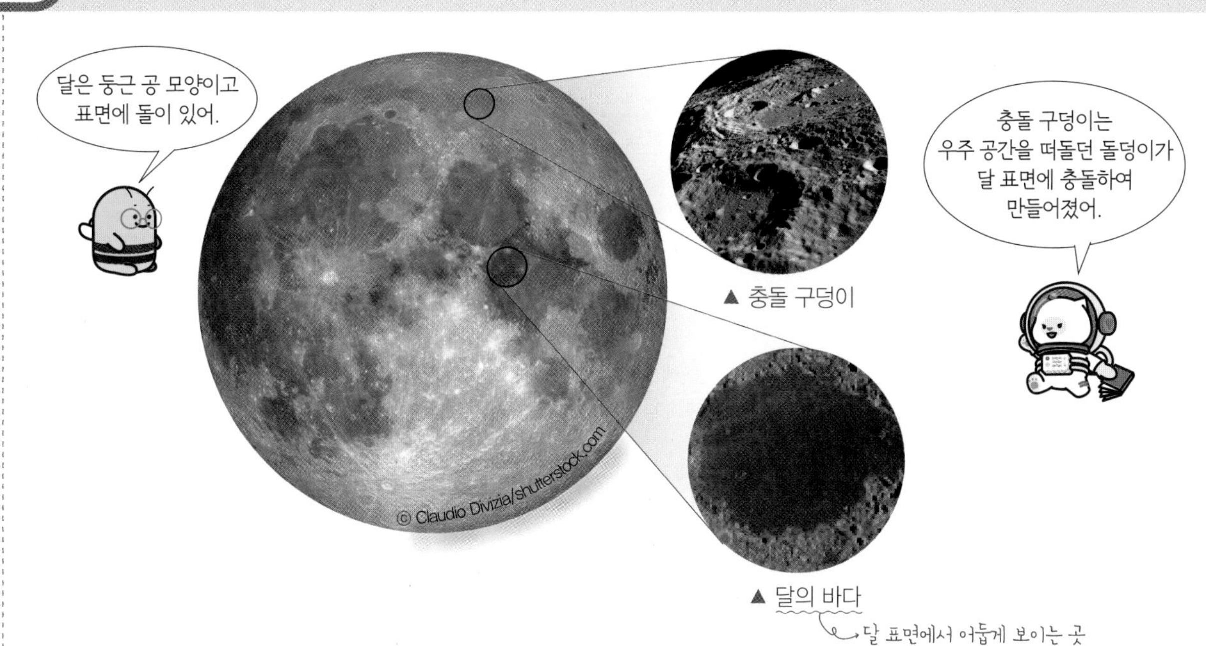

달의 바다에 실제로 물이 있는 것은 아니야.

달 표면의 색깔

- 회색빛임.
- 밝은 부분과 어두운 부분이 있음.

달 표면의 모습

- 표면에 움푹 파인 구덩이가 많음.
- 매끈한 면도 있고 울퉁불퉁한 면도 있음.
- 산처럼 높이 솟은 곳도 있고 바다처럼 깊고 넓은 곳도 있음.

달은 둥근 공 모양이고 표면에 ❷(돌 / 물)이 있습니다.

정답 ❶ 둥근 공 ❷ 돌

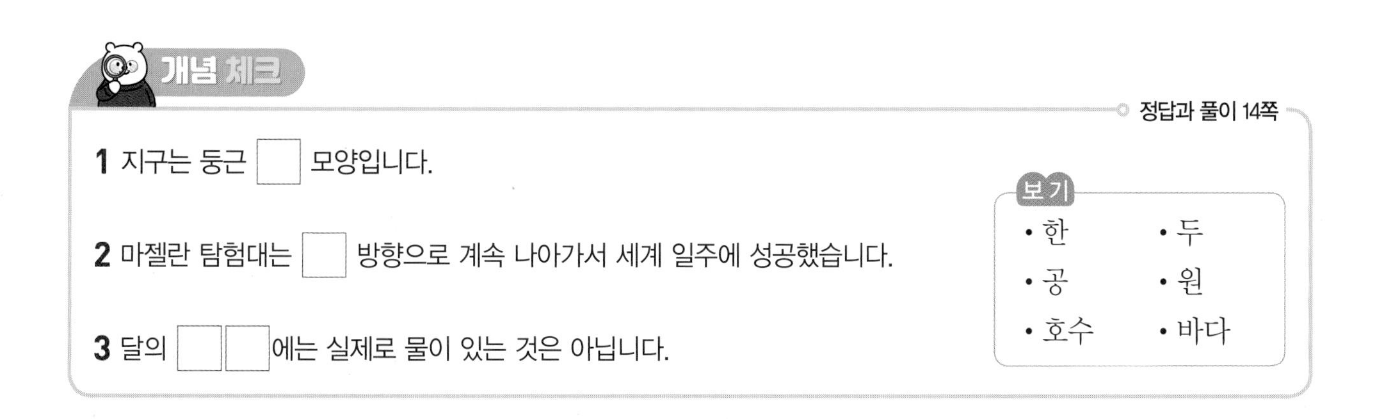

개념 체크

정답과 풀이 14쪽

1 지구는 둥근 ☐ 모양입니다.

2 마젤란 탐험대는 ☐ 방향으로 계속 나아가서 세계 일주에 성공했습니다.

3 달의 ☐☐에는 실제로 물이 있는 것은 아닙니다.

보기
- 한
- 두
- 공
- 원
- 호수
- 바다

4주

3일 개념 확인하기

정답과 풀이 14쪽

[1~2] 다음은 마젤란 탐험대가 세계 일주를 한 뱃길을 나타낸 것입니다. 물음에 답하시오.

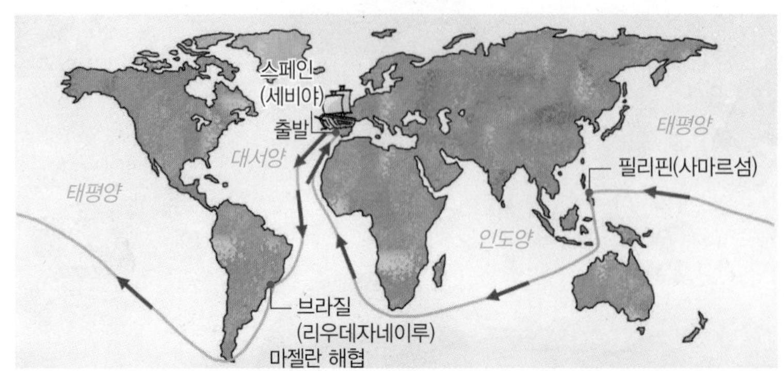

1 다음은 마젤란 탐험대가 이동한 뱃길에 대한 설명입니다. □ 안에 들어갈 알맞은 말을 쓰시오.

> 마젤란 탐험대는 한 방향으로 계속 가서 세계 일주를 한 후 [   ] 한 곳으로 다시 돌아왔습니다.

(   )

2 다음 중 마젤란 탐험대가 세계 일주에서 알아낸 사실로 옳은 것은 어느 것입니까? (   )

① 지구는 네모 모양이다.
② 지구는 세모 모양이다.
③ 지구는 둥근 공 모양이다.
④ 지구는 편평한 원 모양이다.
⑤ 지구 표면은 모두 물로 덮여 있다.

3 오른쪽과 같이 달 표면에서 볼 수 있는 크고 작은 구덩이를 무엇이라고 하는지 쓰시오.

달의 (   )

4 다음 중 달의 바다인 것을 골라 기호를 쓰시오.

㉠ 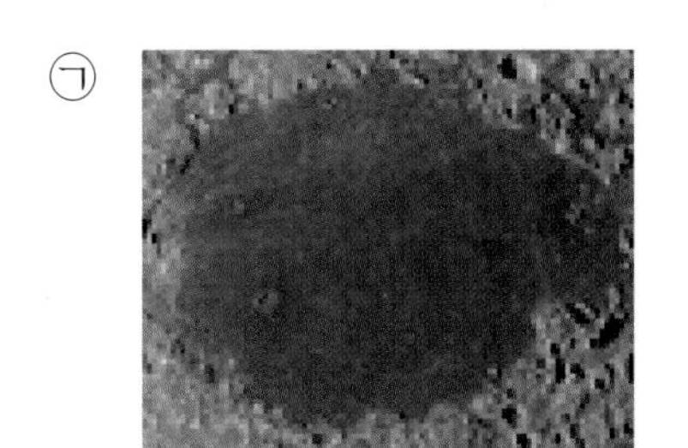

▲ 달 표면에서 어둡게 보이는 부분

㉡ 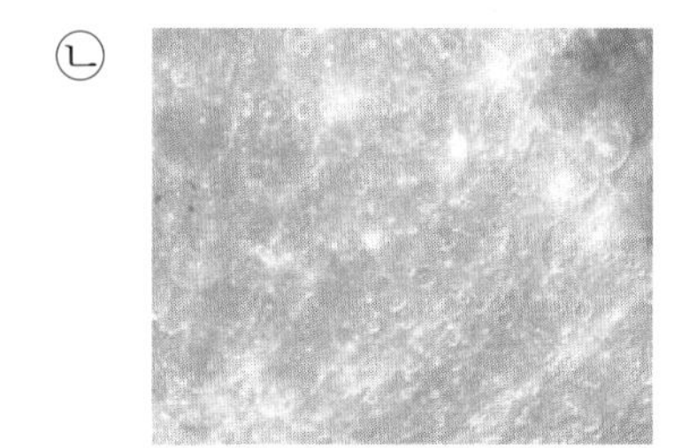

▲ 달 표면에서 밝게 보이는 부분

(   )

5 다음 중 달 표면에 대한 설명으로 옳은 것은 어느 것입니까? (   )

① 달 표면에는 돌이 없다.
② 달 표면에는 물이 있다.
③ 달의 색깔은 초록빛이다.
④ 달에는 어둡게 보이는 부분이 없다.
⑤ 달 표면은 매끈매끈한 면도 있고 울퉁불퉁한 면도 있다.

똑똑한 하루 퀴즈

6 다음 □ 안에 들어갈 알맞은 낱말을 말 상자에서 찾아 모두 ○표를 하세요. 말 상자의 낱말은 가로, 세로, 대각선에 숨어 있어요.

구	마	바	☆
덩	둥	젤	다
이	근	편	란
☆	공	평	☆

❶ □□□ 탐험대는 한 방향으로 계속 가서 세계 일주에 성공했음.
❷ 지구와 달은 □□ □모양임.
❸ 달 표면에서 어둡게 보이는 곳을 달의 □□라고 함.
❹ 달의 충돌 □□□는 우주 공간을 떠돌던 돌덩이가 달 표면에 충돌하여 만들어진 것임.

4일 지구와 달의 차이점

달에서는 우주복을 입어야 해!

용어 체크

우주 비행사

지구 밖의 우주 공간을 비행하기 위하여 특별히 훈련된 비행사

예 우주 ❶ [ ] 가 되기 위해서는 많은 노력이 필요하다.

우주복

우주를 여행할 때에 입도록 만든 옷

예 달 표면을 걸을 때는 ❷ [ ] 을 꼭 입어야 한다.

정답 ❶ 비행사 ❷ 우주복

지구와 달을 모형으로 만들어 비교해 볼까!

용어 체크

모형

실물과 모양을 같게 하여 만든 물건

예 지구 ❶ [　　] 을 만들기 위해서는 여러 가지 색점토가 필요하다.

지름

원의 중심을 지나는 직선으로, 원 둘레 위의 두 점을 이은 선

예 달의 크기는 지구 ❷ [　　] 의 $\frac{1}{4}$ 정도이다.

정답 ❶ 모형 ❷ 지름

4일 개념 익히기

1 지구와 달의 모습은 어떻게 다를까?

지구와 달의 모습 비교

- 공기와 구름이 있음.
- 새 등이 날아다님.

- 공기와 구름이 없음.
- 새가 날아다니지 않음.

- 파랗게 보임.
- 물과 생물이 있음.

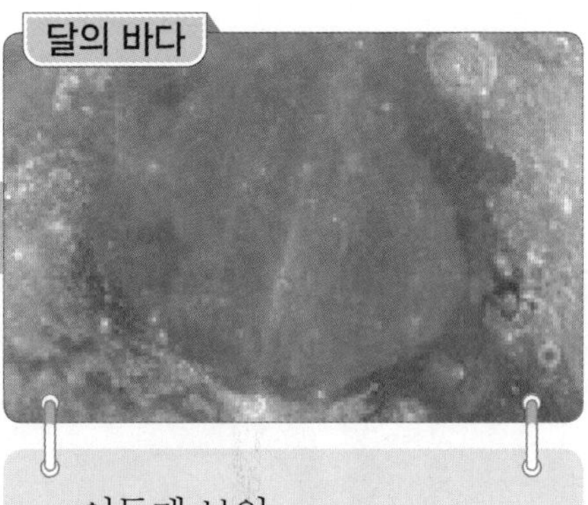

- 어둡게 보임.
- 물과 생물이 없음.

지구에 생물이 살 수 있는 까닭

지구에는 물과 공기가 있어서 생물이 살 수 있어.

지구는 생물이 살기에 알맞은 온도지만 달은 생물이 살기에 알맞은 온도가 아니야.

지구에서 본 하늘은 ❶(검은색 / 파란색)이지만, 달에서 본 하늘은 ❷(검은색 / 파란색)입니다.

2 색점토로 만든 지구와 달 모형은 어떻게 다를까?

실험 동영상

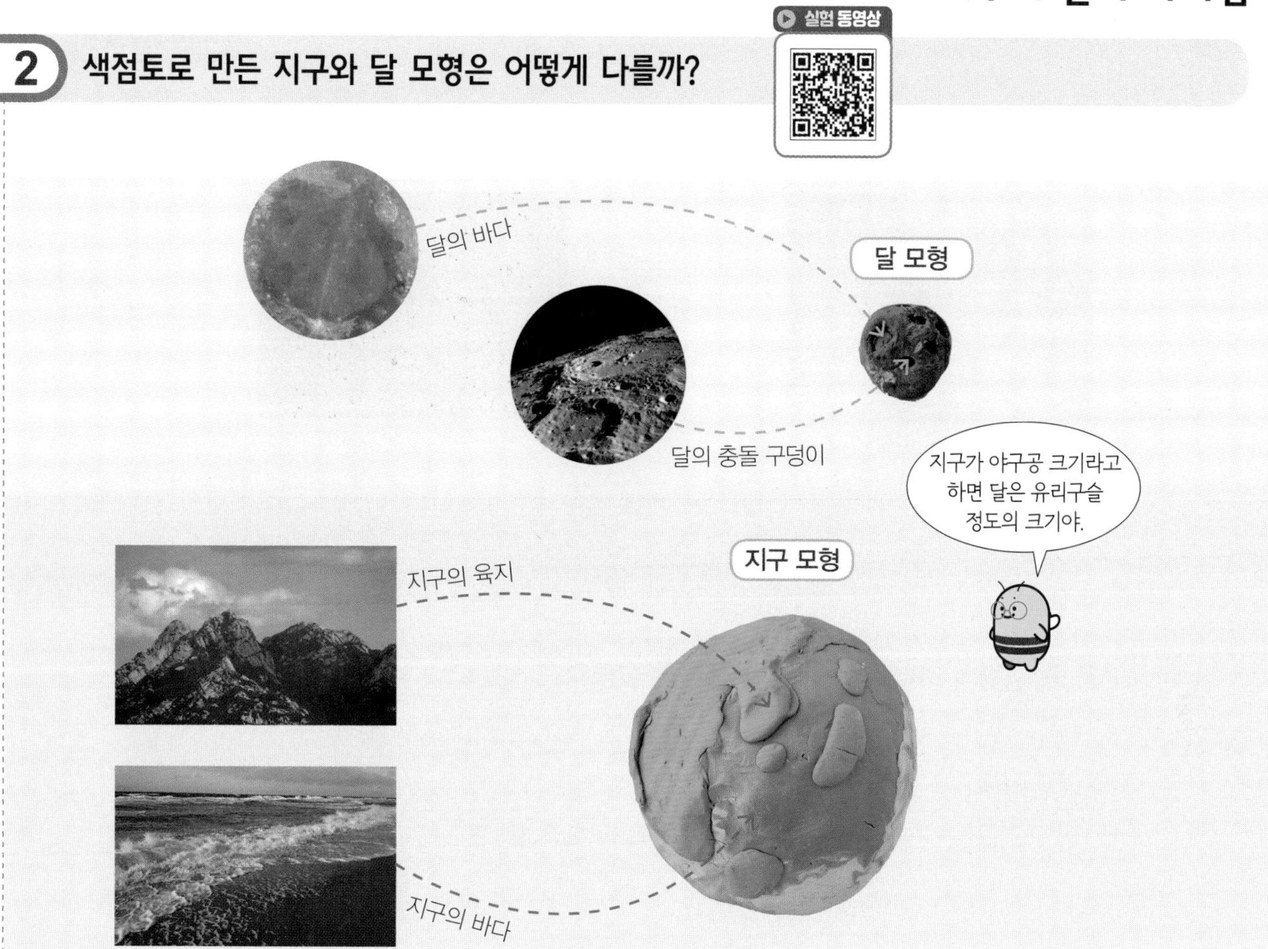

지구와 달 모형의 차이점

- 달 모형에는 크고 작은 구덩이가 많음.
- 지구 모형은 색깔이 다양하지만, 달 모형은 회색, 검은색 등의 색깔을 띰.

파란색, 초록색, 갈색, 하얀색 등

지구 모형이 달 모형보다 ❸(큽 / 작습)니다.

정답 ❶ 파란색 ❷ 검은색 ❸ 큽

개념 체크

정답과 풀이 14쪽

1 구름과 새가 있는 것은 □□의 하늘입니다.

2 달은 생물이 살기에 알맞은 □□이/가 아닙니다.

3 달의 모형은 회색, □□□ 등의 색점토를 사용하여 만듭니다.

보기
- 온도
- 모양
- 지구
- 태양
- 노란색
- 검은색

개념 확인하기

정답과 풀이 14쪽

1 다음 중 지구의 하늘 모습인 것을 골라 기호를 쓰시오.

㉠ 
▲ 하늘이 파란색임.

㉡ 
▲ 하늘이 검은색임.

( )

2 다음 중 지구의 바다와 달의 바다에 대한 설명으로 옳은 것을 두 가지 고르시오. (,)

① 달의 바다에는 물이 있다.
② 지구의 바다에는 물이 없다.
③ 달의 바다에는 생물이 있다.
④ 지구의 바다에는 생물이 있다.
⑤ 지구의 바다는 파랗게 보인다.

3 다음은 지구에서 생물이 살 수 있는 까닭에 대한 설명입니다. □ 안에 들어갈 알맞은 말을 쓰시오.

> 지구에는 물과 공기가 있어서 생물이 살 수 있습니다. 또한 지구는 달과 다르게 생물이 살기에 알맞은 □ 을/를 유지하고 있습니다.

( )

4 오른쪽은 지구 모형과 달 모형을 만들기 위해 지점토를 준비한 것입니다. ㉠, ㉡은 어떤 모형인지 각각 쓰시오.

㉠ ( )
㉡ ( )

5 지구가 오른쪽 야구공 크기라고 가정할 때 달의 크기로 가장 적당한 것을 다음에서 골라 기호를 쓰시오.

㉠

▲ 유리구슬

㉡

▲ 야구공

㉢

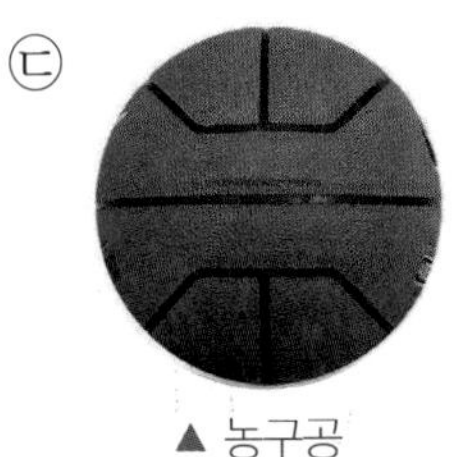

▲ 농구공

(　　　　　　)

6 다음 보기에서 지구와 달의 공통점으로 옳은 것을 골라 기호를 쓰시오.

보기
㉠ 둥근 공 모양입니다.
㉡ 물과 공기가 있습니다.
㉢ 크고 작은 구덩이가 많습니다.
㉣ 표면을 크게 육지와 산으로 나눌 수 있습니다.

(　　　　　　)

7 다음 □ 안에 들어갈 알맞은 낱말을 말 상자에서 찾아 모두 ○표를 하세요. 말 상자의 낱말은 가로, 세로, 대각선에 숨어 있어요.

유	물	★	검
바	리	★	은
다	공	구	색
기	온	도	슬

① 지구에서 본 하늘은 파란색이지만, 달에서 본 하늘은 □□□임.
② 지구의 □□에는 물이 있지만, 달의 바다에는 물이 없음.
③ 지구에는 □과 □□가 있어 생물이 살 수 있음.
④ 지구는 생물이 살기에 알맞은 □□를 유지하고 있음.

4주 마무리하기

1 지구의 표면

① 지구 표면의 다양한 모습

우리나라에서 볼 수 있는 모습	산, 들, 강, 계곡, 호수, 갯벌, 바다 등
세계 여러 곳에서 볼 수 있는 모습	사막, 빙하, 화산 등

② 육지와 바다

육지	강이나 바다와 같이 물이 있는 곳을 제외한 지구의 표면
바다	지구 표면에서 육지를 제외한 부분

③ 육지와 바다의 차이점

- 바다는 육지보다 넓음.
- 육지와 바다에 사는 생물이 다름.
- 바닷물이 육지의 물보다 훨씬 많음.
- 바닷물은 짜지만 육지의 물은 짜지 않음.

2 지구의 공기

공기는 눈에 보이지 않지만 우리 주위를 둘러싸고 있어.

공기의 이용	 ▲ 비행기	 ▲ 열기구	 ▲ 연날리기
	 ▲ 풍력 발전소	 ▲ 요트	 ▲ 튜브
공기의 역할	생물이 숨을 쉬고 살 수 있도록 해 줌.		
공기가 없을 때 생길 수 있는 일	• 생물이 살아갈 수 없음. • 바람이 불지 않을 것임. • 구름이 없고 비가 오지 않을 것임.		

3 지구와 달의 모습

① **지구의 모양** : 둥근 공 모양입니다.
② **지구가 편평해 보이는 까닭** : 사람의 크기에 비해 지구가 매우 크기 때문입니다.
③ **달의 모습**

전체적인 모양	둥근 공 모양임.
표면	• 표면에 돌이 있고 움푹 파인 구덩이가 많음. • 회색빛이고, 밝은 부분과 어두운 부분이 있음.

④ **달의 바다와 달의 충돌 구덩이**

달의 바다
달 표면에서 어둡게 보이는 곳

달의 충돌 구덩이
우주 공간을 떠돌던 돌덩이가 달 표면에 충돌하여 만들어진 것

4 지구와 달의 차이점

지구	달
• 물과 공기가 있고, 하늘이 파란색임. • 생물이 살기에 알맞은 온도임.	• 물과 공기가 없고 하늘이 검은색임. • 생물이 살기에 알맞은 온도가 아님.

내가 퀴즈 하나 낼게!
지구의 공기는 어떤 역할을 할까?

생물이 살아가는 데 필요한 **산소**를 **공급**해 주고, **연날리기**나 해수욕장에서 **튜브**를 탈 수도 있지.

그런데 그것 이외에 공기의 역할에는 또 어떤 것들이 있어?

태양 빛 중에서 인체에 해로운 것을 막아 주고, 지구 외부의 물질이 지표면에 떨어져 피해를 주는 것을 막기도 해.

1일 지구의 표면

1 다음 지구 표면의 다양한 모습 중 우리나라에서 볼 수 있는 모습을 골라 기호를 쓰시오.

㉠ 
▲ 산

㉡ 
▲ 빙하

㉢ 
▲ 화산

(　　　　　　　　)

2 오른쪽은 지구의 표면에서 볼 수 있는 모습 중 어느 것을 나타낸 것입니까? (　　　　)

① 들　　② 산
③ 계곡　　④ 바다
⑤ 화산

3 다음 보기 에서 지구의 표면을 크게 둘로 옳게 나눈 것을 골라 기호를 쓰시오.

보기
㉠ 강과 바다　　㉡ 바다와 하늘
㉢ 도시와 농촌　　㉣ 육지와 바다

(　　　　　　　　)

서술형

4 오른쪽은 지구의 육지와 바다의 모습입니다. 육지와 바다의 차이점을 두 가지 쓰시오.

○ 정답과 풀이 15쪽

2일 지구의 공기

5 다음의 활동은 무엇을 느낄 수 있는 방법인지 쓰시오.

▲ 선풍기 바람 쐬기

▲ 달리기

▲ 입김 불기

( )

6 다음 중 공기를 이용하는 경우가 아닌 것은 어느 것입니까? ( )

① 
▲ 비행기가 날 수 있음.

② 
▲ 열기구가 날 수 있음.

③ 
▲ 풍력 발전소에서 전기를 얻음.

④ 
▲ 수력 발전을 이용해 전기를 얻음.

7 다음 중 공기가 없을 때 생길 수 있는 일로 옳은 것을 두 가지 고르시오. (,)

① 비가 계속 올 것이다.
② 연날리기를 할 수 있다.
③ 생물이 살아갈 수 없다.
④ 구름이 많이 생길 것이다.
⑤ 바람이 불지 않을 것이다.

3일 지구와 달의 모습

8 다음 중 지구의 모양으로 옳은 것은 어느 것입니까? (　　　　)

① 별 모양
② 네모 모양
③ 세모 모양
④ 둥근 공 모양
⑤ 납작한 원 모양

9 다음은 지구가 편평해 보이는 까닭에 대한 설명입니다. □ 안에 들어갈 알맞은 말을 쓰시오.

> 지구가 우리에게 편평해 보이는 까닭은 사람의 크기에 비해 지구가 매우 □ 때문입니다.

(　　　　　　　　)

10 다음 중 우주 공간을 떠돌던 돌덩이가 달 표면에 충돌하여 만들어진 것의 기호를 쓰시오.

㉠ 
▲ 달의 바다

㉡ 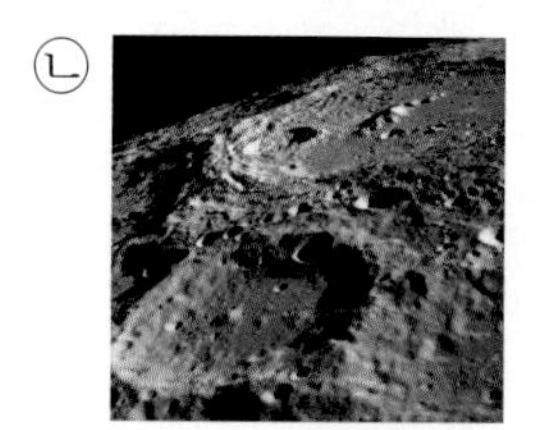
▲ 달의 충돌 구덩이

(　　　　　　　　)

4일 지구와 달의 차이점

11 다음 보기 에서 지구에서 볼 수 있는 모습을 골라 기호를 쓰시오.

보기
㉠ 하늘이 검은색입니다.
㉡ 바다에 물이 있습니다.
㉢ 생물이 살지 않습니다.
㉣ 육지에만 생물이 살고 있습니다.

(　　　　　　　　)

12 다음 달 모형과 지구 모형의 모습과 사용한 색점토의 종류를 줄로 바르게 이으시오.

(1) 

▲ 달 모형

(2) 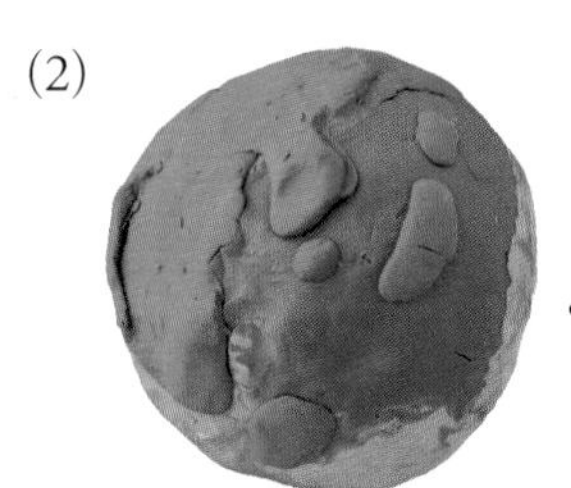

▲ 지구 모형

• ㉠ 회색, 검은색의 색점토를 사용함.

• ㉡ 초록색, 갈색, 파란색 등의 색점토를 사용함.

13 다음 중 지구와 달에 대한 설명으로 옳지 않은 것은 어느 것입니까? (　　　　)

① 지구가 달보다 크다.

② 지구와 달은 둥근 공 모양이다.

③ 지구에서는 파란 하늘을 볼 수 있다.

④ 지구 표면에는 크고 작은 구덩이가 많다.

⑤ 지구의 바다에는 물이 있지만, 달의 바다에는 물이 없다.

14 다음 십자말풀이를 해 보세요.

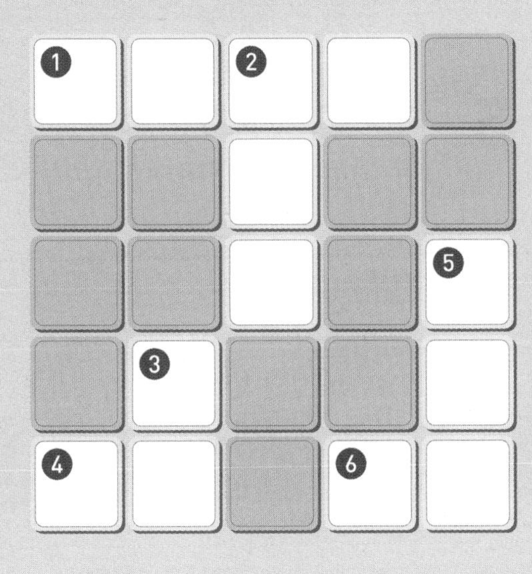

가로

❶ 달 표면에서 어둡게 보이는 곳

❹ 사람에 비해 지구가 매우 □□ 때문에 지구가 편평해 보임.

❻ (달 / 지구)은/는 물과 공기가 있음.

세로

❷ □□□은 사람이 마시기에 적당하지 않음.

❸ □□가 있어 생물이 숨을 쉬고 살 수 있음.

❺ 적도를 경계로 지구를 둘로 나눴을 때의 남쪽 부분

4 주

맞은 개수 /10개

1 다음 중 우리나라에서 볼 수 있는 지구 표면의 모습 두 가지를 고르시오. (　　　,　　　)

① 
▲ 산

② 
▲ 계곡

③ 
▲ 빙하

④ 
▲ 화산

2 다음 지도의 모습에서 강이나 바다와 같이 물이 있는 곳을 제외한 지구의 표면을 나타내는 것을 골라 기호를 쓰시오.

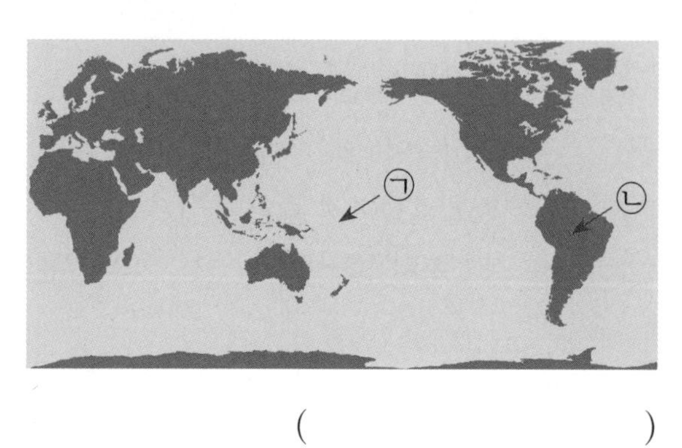

(　　　　　　　　)

3 다음 중 육지와 바다에 대한 설명으로 옳은 것은 어느 것입니까? (　　　)

① 육지의 물은 짜다.
② 육지가 바다보다 넓다.
③ 육지와 바다에 사는 생물이 다르다.
④ 육지의 물이 바닷물보다 훨씬 많다.
⑤ 바닷물은 사람이 마시기에 적당하다.

4 다음 중 공기를 이용하는 예로 옳은 것을 골라 기호를 쓰시오.

㉠ 
▲ 낚시를 할 수 있음.

㉡ 
▲ 비행기가 날 수 있음.

(　　　　　　　　)

5 다음 보기에서 공기가 없을 때 생길 수 있는 일로 옳은 것끼리 바르게 짝지은 것은 어느 것입니까? (　　　)

보기
㉠ 비가 오지 않을 것입니다.
㉡ 구름이 많이 생길 것입니다.
㉢ 바람이 불지 않을 것입니다.
㉣ 생물이 살아갈 수 있습니다.

① ㉠, ㉡　② ㉠, ㉢
③ ㉡, ㉢　④ ㉡, ㉣
⑤ ㉢, ㉣

6 다음 중 마젤란 탐험대가 세계 일주를 통해 알아낸 사실로 옳은 것은 어느 것입니까? (　　　)

① 지구에는 바다가 없다.
② 지구는 세모 모양이다.
③ 지구는 달 주위를 돈다.
④ 지구는 둥근 공 모양이다.
⑤ 지구의 끝에는 낭떠러지가 있다.

7 다음 중 지구의 모양과 가장 비슷한 것을 골라 기호를 쓰시오.

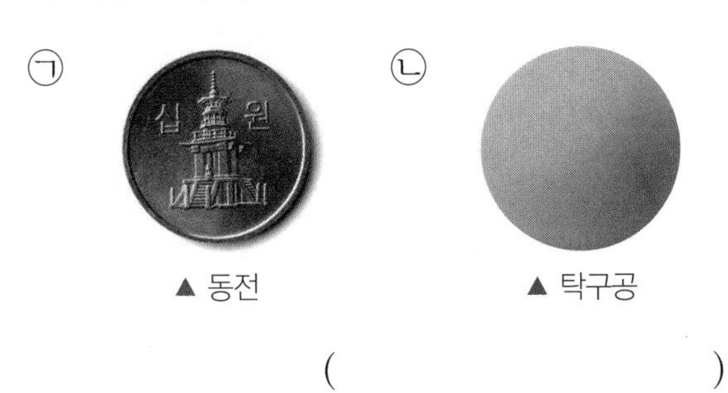

▲ 동전　　▲ 탁구공

(　　　　　　)

8 다음 중 달의 바다와 달의 충돌 구덩이의 뜻을 줄로 바르게 이으시오.

(1) 달의 바다 •　　• ㉠ 달 표면에서 어둡게 보이는 곳

(2) 달의 충돌 구덩이 •　　• ㉡ 우주 공간을 떠돌던 돌덩이가 달 표면에 충돌하여 만들어진 것

9 다음 중 지구에서 볼 수 있는 모습에는 지구, 달에서 볼 수 있는 모습에는 달이라고 쓰시오.

(1) ▲ 하늘이 검은색임. (　　　　)

(2) ▲ 하늘이 파란색임. (　　　　)

(3) ▲ 바다에 물과 생물이 있음. (　　　　)

(4) ▲ 바다에 물과 생물이 없음. (　　　　)

10 다음 중 지구와 달 모형에 대한 설명으로 옳지 않은 것은 어느 것입니까? (　　　)

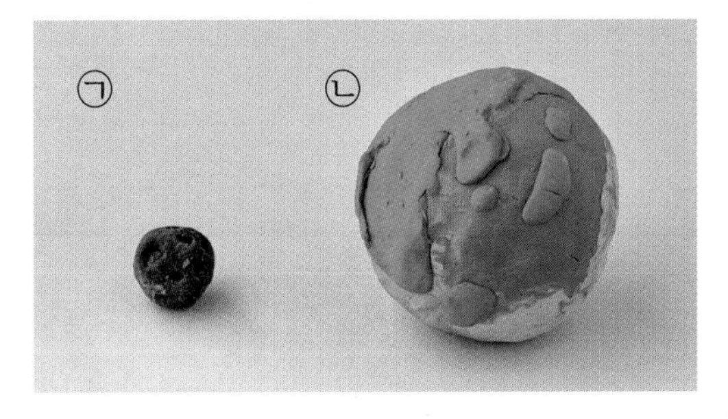

① 지구 모형은 색깔이 다양하다.
② 지구 모형이 달 모형보다 크다.
③ ㉠은 지구 모형, ㉡은 달 모형이다.
④ 달 모형에는 크고 작은 구덩이가 많다.
⑤ 지구 모형과 달 모형 모두 둥근 공 모양이다.

4주

창의·융합·코딩

생활 속 과학

지구의 공기는 어떤 역할을 하는지 알아봅니다.

지구를 둘러싸고 있는 공기의 역할

이번 주 날씨를 알려 드리겠습니다.

안녕하십니까, 천재 TV 기상 정보 시간입니다.

지난주와 마찬가지로 이번 주도 맑은 날씨가 이어지겠습니다. 기온도 평년과 같이 아침에는 11~13 ℃ 정도이고 낮에는 18~20 ℃ 정도를 유지하겠습니다.

요즘 들어 공기가 깨끗해졌다고 느끼시는 분들이 많을 텐데요. 맞습니다. 작년과 비교해 미세먼지의 양이 많이 줄어든 것을 알 수 있습니다. 깨끗해진 공기로 건강하게 생활 하시고, 소중한 지구의 공기에 대해서도 한 번 더 생각하는 하루가 되셨으면 합니다. 이상 날씨였습니다. 감사합니다.

빠른 정답 보기
○ 정답과 풀이 16쪽

1 다음은 공기의 역할에 대해 그림과 글로 나타낸 것이에요. 내용에 해당하는 그림에 번호를 각각 쓰세요.

❶ 공기가 있어서 사슴 등 생물이 숨을 쉬고 살 수 있습니다.

❷ 공기를 이용하여 연날리기를 할 수 있습니다.

❸ 공기가 있어서 요트가 움직일 수 있습니다.

❹ 공기를 이용하여 풍력 발전소에서 전기를 만듭니다.

❺ 공기가 있어서 하늘에 비행기가 날 수 있습니다.

❻ 공기를 이용하여 해수욕장에서 튜브를 탈 수 있습니다.

창의·융합·코딩

사고 쑥쑥

일기를 보고 지구 표면에서 볼 수 있는 모습을 찾아봅니다.

2 다음은 윤미가 방학 동안 가족들과 여행을 다녀온 뒤 쓴 일기예요. 지구 표면에서 볼 수 있는 모습 중 다음 일기에 나온 것을 세 가지 쓰세요.

○○○○년 ○○월 ○○일

오늘은 가족들과 다녀온 여행지 사진을 정리했다.

지난달에는 속초에 다녀왔다. 가는 길에 들에 벼가 자라는 모습도 보고, 강에서 낚시하는 사람들도 보았다. 속초에서는 바다를 보고 큰 시장도 구경했으며, 설악산 아래에 있는 숙소에서 잠을 잤다.

지난주에는 서해안에 있는 해수욕장에 놀러 갔다. 해수욕장에서 물놀이도 하고, 부모님과 함께 갯벌에서 조개도 잡다 보니 하루가 빨리 지나갔다. 서해안에서 본 일몰은 잊지 못할 추억이 될 것 같다.

문득 우리나라에서 볼 수 있는 지구 표면의 모습에는 어떤 것이 있을까 궁금해졌다. 내일은 도서관에 가서 우리나라에서 볼 수 있는 지구 표면의 다양한 모습에 대해 찾아봐야겠다.

(, ,)

우주복에 대한 설명을 통해 지구와 달의 차이점에 대해 알아봅니다.

3 다음은 달 탐사를 할 때 입어야 하는 우주복에 대한 설명이에요. 지구와 달의 차이점에 대해 생각하면서 빈칸에 알맞은 말을 각각 쓰세요.

달 탐사를 하기 위해 우주 비행사가 입는 복장은 지구에서의 복장과 매우 다릅니다. 매우 낮은 온도로부터 신체를 보호해 주는 여러 가지 장치들이 있습니다. 달 탐사를 위한 우주복에 이러한 장치가 많은 까닭은 달이 지구와 다르게 물, 숨을 쉴 수 있는 ❶ [ ] 이/가 없고, 생물이 살기에 알맞은 ❷ [ ] 이/가 아니기 때문입니다.

창의·융합·코딩

논리 탄탄

규칙을 실행하면서 지구 표면의 육지와 바다에 대해 알아봅니다.

4 다음은 지구의 육지와 바다에 대한 설명이에요. (1)~(6)의 설명이 옳은지, 옳지 않은지 판단하여 아래 [실행 규칙]에 따라 모두 실행했을 때 도착점의 기호를 쓰세요.

육지와 바다에 대한 설명

(1) 바다는 육지보다 넓습니다.
(2) 육지의 물이 바다의 물보다 짭니다.
(3) 육지와 바다에 사는 생물은 다릅니다.
(4) 바닷물은 사람이 마시기에 적당합니다.
(5) 육지의 물이 바다의 물보다 훨씬 많습니다.
(6) 지구 표면의 많은 부분이 바다로 덮여 있습니다.

(   )

5 미주는 이모, 타르 아저씨와 함께 산책 중에 대화를 나눴어요. 다음은 지구, 달, 태양에 대한 ○X 퀴즈예요. ㈎~㈐ 질문에 대해 ○X로 답한 것을 보고, 무엇에 대한 퀴즈인지 보기 에서 골라 쓰세요.

질문

㈎	질문
㈎-1	달에 있습니까?
㈎-2	지구에 있습니까?

㈏	질문
㈏-1	밝습니까?
㈏-2	어둡습니까?

㈐	질문
㈐-1	물이 있습니까?
㈐-2	물이 없습니까?

답

질문	㈎-1	㈏-2	㈐-1
답	○	○	×

※ 옳으면 ○, 옳지 않으면 ×로 대답하였습니다.

보기

달의 바다　　지구의 바다　　지구의 육지　　지구의 하늘

(　　　　　　　　)

여러 가지 실험 기구

▲ 막대자석

▲ 수조

▲ 돋보기

▲ 확대경

▲ 페트리 접시

▲ 약숟가락

book.chunjae.co.kr

정답과 풀이

1주 물질의 성질

1일 물체와 물질

15쪽 개념 체크

1 물질 **2** 고무 **3** 나무

16~17쪽 개념 확인하기

1 ④ **2** (1) 금속 (2) 나무 (3) 플라스틱 **3** ⑤
4 금속 **5** ①, ③ **6** 진우

똑똑한 하루 퀴즈

7

플	금	☆	물
☆	라	의	체
고	나	스	자
무	열	무	틱
나	무	☆	보

❶ 물체 ❷ 플라스틱 ❸ 고무

풀이

1 책상은 나무로 만든 물체입니다.

2 클립은 금속으로 만들어진 물체이고, 주걱은 나무, 플라스틱 바구니는 플라스틱으로 만들어진 물체입니다.

3 우리 주변에는 두 가지 이상의 물질로 만들어진 물체도 있습니다.

4 잘 긁히는 물질은 덜 단단합니다. 나무 막대가 깊이 파인 것으로 보아 금속이 나무보다 더 단단함을 알 수 있습니다.

5 물에 가라앉는 물질은 금속과 고무이고, 물에 뜨는 물질은 나무와 플라스틱입니다.

6 플라스틱은 금속보다 가볍습니다.

왜 틀렸을까?
수인 : 잘 구부러지는 물질은 고무입니다.
유정 : 광택이 있고 매우 단단한 것은 금속입니다.

7 ❶ 모양이 있고 공간을 차지하는 것은 물체입니다.
❷ 자, 탁구공, 플라스틱 바구니를 이루고 있는 물질은 플라스틱입니다.
❸ 쉽게 구부러지는 성질이 있는 물질은 고무입니다.

2일 물질의 성질 이용

21쪽 개념 체크

1 금속 **2** 플라스틱 **3** 고무

22~23쪽 개념 확인하기

1 ㉠ 플라스틱 ㉡ 고무 **2** 튼튼합니다 **3** ②, ⑤
4 (1) 플라스틱 (2) 고무 **5** ⑤

집중 연습 문제

6 ㉢
· 상판 ➡ 나무
· 몸체 ➡ 금속
· 받침 ➡ 플라스틱

7 고무

풀이

1 자는 플라스틱, 지우개는 고무로 만들어진 물체입니다.

2 금속은 다른 물질보다 단단합니다.

3 고무줄을 고무로 만들면 잘 늘어나고 다른 물체를 쉽게 묶을 수 있습니다.

4 쓰레받기의 몸체는 플라스틱, 쓰레받기의 입구는 고무로 만들어졌습니다.

5 물체의 기능에 알맞은 물질을 선택하여 물체를 만들면 사용하기에 더 좋습니다.

6 책상의 받침은 플라스틱으로 만들어 바닥이 긁히는 것을 줄여 줍니다.

7 쓰레받기의 입구는 고무로 만들어 바닥에 잘 달라붙어 작은 먼지도 쓸어 담기 좋습니다.

정답과 풀이

3일 서로 다른 물질로 만든 물체

27쪽 개념 체크

1 단단 2 고무 3 성질

28~29쪽 개념 확인하기

1 ② 2 금속 3 (1) 비닐 (2) 고무
4 ①, ③ 5 ㉢ 6 물질

똑똑한 하루 퀴즈

7

고	유	★	용
죽	라	리	도
비	나	자	자
명	닐	부	불
풀	★	종	이

❶ 유리
❷ 비닐
❸ 용도

풀이

1 종이컵은 싸고 가벼워서 손쉽게 사용할 수 있습니다.

왜 틀렸을까?
① 금속 컵은 튼튼하며 잘 깨지지 않습니다.
② 유리컵은 투명하여 컵 안에 들어 있는 물질을 쉽게 알 수 있습니다.
③ 도자기 컵은 음식을 오랫동안 따뜻하게 보관할 수 있습니다.

2 금속 컵은 잘 깨지지 않고 튼튼합니다.

3 비닐 장갑은 투명하고 얇으며 물이 들어오지 않고, 고무장갑은 질기고 미끄러지지 않으며 물이 들어오지 않습니다.

4 가죽 장갑은 질기고 부드러우며 따뜻합니다.

5 금속 신발은 구부러지지 않고, 유리 신발은 다른 물체에 부딪쳤을 때 쉽게 깨져 다칠 수 있습니다.

6 물질의 성질에 따라 물체의 기능이 다르고 서로 다른 좋은 점이 있습니다.

7 ❶ 투명하여 무엇이 들어 있는지 알 수 있는 컵은 유리컵입니다.
❷ 투명하고 얇으며 물이 들어오지 않는 장갑은 비닐 장갑입니다.
❸ 물체를 만들 때는 용도를 생각하여 알맞은 성질의 물질을 선택해야 합니다.

4일 물질의 성질 변화

33쪽 개념 체크

1 붕사 2 커 3 있

34~35쪽 개념 확인하기

1 붕사 2 과정 ❷ 3 고무 4 ㉢
5 ⑤

똑똑한 하루 퀴즈

6

폴	붕	사	알
리	소	★	성
광	금	질	물
택	비	무	★
설	★	닐	탕

❶ 붕사
❷ 광택
❸ 성질

풀이

1 붕사는 하얀색이고 광택이 없으며 손으로 만지면 깔깔합니다.

2 물, 붕사, 폴리비닐 알코올을 섞으면 서로 엉기고 알갱이가 점점 커집니다.

3 탱탱볼은 말랑말랑하고 고무 같은 느낌이 들며, 바닥에 떨어뜨리면 잘 튀어 오릅니다.

4 서로 다른 물질을 섞으면 섞기 전에 각 물질이 가지고 있던 성질이 변하기도 합니다.

5 물과 붕사, 폴리비닐 알코올을 섞어서 탱탱볼을 만들 때 섞기 전에 각 물질이 가지고 있던 성질이 변합니다.

왜 틀렸을까?
① 콩과 팥, ② 설탕과 소금, ③ 미숫가루와 설탕, ④ 초콜릿 가루와 설탕은 섞은 후에 각 물질이 가지고 있던 성질이 변하지 않습니다.

6 ❶ 물, 붕사, 폴리비닐 알코올을 섞으면 서로 엉기고 알갱이가 커집니다.
❷ 물기가 완전히 마른 탱탱볼은 알갱이가 투명하고 광택이 있습니다.
❸ 서로 다른 물질을 섞었을 때 물질의 성질이 변하기도 합니다.

5일 1주 마무리하기

38~41쪽 마무리하기 문제

1 ② 2 예 단단한 정도 3 (1) 나무 (2) 고무 4 ④ 5 고무 6 예 충격을 잘 흡수하고 탄력이 있다. 7 ㉢ 8 ㉣ 9 ④, ⑤ 10 ③ 11 ㉠

똑똑한 하루 퀴즈

12

	❶❷물	체		
❸성	질			
		❹용		
		❺도	자	기

풀이

1 두 가지 이상의 물질로 이루어진 물체도 많이 있습니다.

2 두 물질을 서로 긁었을 때 잘 긁히는 물질일수록 덜 단단합니다. 고무 막대만 깊게 파였으므로 금속 막대와 고무 막대 중 금속 막대가 더 단단합니다.

3 고유한 향과 무늬가 있는 것은 나무이고, 쉽게 구부러지고 미끄러지지 않는 성질이 있는 것은 고무입니다.

4 책상의 받침은 플라스틱으로 만들어 바닥이 긁히는 것을 줄여 줍니다.

5 자전거의 타이어는 고무로 만듭니다.

6 자전거의 타이어는 고무로 만들어 충격을 잘 흡수하고 탄력이 있습니다.

인정 답안

고무로 만든 타이어의 성질에 대해 옳게 표현했으면 정답으로 인정합니다.

인정 답안의 예

- 충격을 잘 흡수한다.
- 탄력이 있다.

7 플라스틱은 가볍고 단단하며 모양과 색깔이 다양합니다.

8 물질의 성질에 따라 물체의 기능이 다르고, 서로 다른 좋은 점이 있습니다.

9 폴리비닐 알코올은 하얀색이고 광택이 있으며, 손으로 만지면 깔깔합니다. 또 붕사보다 알갱이가 큽니다.

10 물과 붕사를 섞으면 물이 뿌옇게 흐려집니다.

11 탱탱볼을 만들 때 물질을 섞기 전에 각 물질이 가지고 있던 색깔, 손으로 만졌을 때의 느낌 등의 성질이 변합니다.

12 ❶은 물체, ❷는 물질, ❸은 성질, ❹는 용도, ❺는 도자기입니다.

1주 | TEST+특강

42~43쪽 누구나 100점 TEST

1 (1) ㉡ (2) ㉣ (3) ㉠ 2 ⑤ 3 ② 4 ④ 5 ㉢ 6 ⑤ 7 ② 8 ③ 9 ㉠ 붕사 ㉡ 폴리비닐 알코올 10 ⑤

풀이

1 풍선은 고무, 자는 플라스틱, 열쇠는 금속으로 만들어진 물체입니다.

2 열쇠는 주로 금속과 같은 단단한 물질로 만듭니다. 섬유는 열쇠를 만들 물질로 적당하지 않습니다.

3 여러 가지 물질의 단단한 정도를 비교하는 실험으로, 두 물질을 서로 긁었을 때 잘 긁히는 물질일수록 덜 단단합니다. 가장 단단한 물질은 금속입니다.

4 쉽게 구부러지고 늘어났다가 다시 돌아오는 성질이 있는 물질은 고무입니다.

5 플라스틱 바구니는 플라스틱으로 만들어 가벼우면서도 튼튼합니다.

6 책상의 상판은 나무로 만들어 가벼우면서도 단단합니다.

7 자전거의 체인은 금속으로 만들어 튼튼하고, 큰 힘에도 잘 견딥니다.

8 고무장갑은 물이 들어오지 않고, 질기고 미끄러지지 않습니다.

9 따뜻한 물에 붕사 두 숟가락을 넣고 저어 준 뒤 폴리비닐 알코올을 넣고 저어 줍니다.

10 탱탱볼을 만들 때 서로 다른 물질을 섞으면 섞기 전에 각 물질이 가지고 있던 성질이 변합니다.

45쪽 생활 속 과학 융합

❶ 정우 : ㉑ 플라스틱
나린 : ㉑ 도자기
지훈 : ㉑ 종이

풀이

❶ 플라스틱은 가볍고 튼튼하며, 다양한 색깔과 모양으로 만들어 사용할 수 있습니다. 도자기는 음식을 오랫동안 따뜻하게 보관할 수 있고, 종이는 싸고 가벼워서 손쉽게 사용할 수 있습니다.

46~47쪽 사고 쑥쑥 창의

❷ ❶ 2 ❷ 4 ❸ 6
비밀 번호 : 246
❸ ❶ 플라스틱 ❷ 금속

풀이

❷ • 금속으로 만들어진 물체 : 쇠못, 열쇠
• 플라스틱으로 만들어진 물체 : 플라스틱 바구니, 플라스틱 장난감 블록
• 나무로 만들어진 물체 : 나무 주걱, 야구 방망이
• 고무로 만들어진 물체 : 고무풍선, 고무장갑, 지우개, 고무공
• 유리로 만들어진 물체 : 유리컵, 어항
• 섬유로 만들어진 물체 : 옷

❸ 단거리 육상 선수가 신는 신발의 밑창은 가볍고 단단한 플라스틱으로 만들어졌고, 철로 된 못(징)이 붙어 있어 땅바닥을 차고 나가는 데 도움이 됩니다.

48~49쪽 논리 탄탄 코딩

❹ 그릇가게
❺ 엄마를 도와 설거지를 해 보아요

풀이

❹ 금속은 광택이 있고, 유리는 잘 찢어지지 않습니다. 종이는 투명하지 않으며, 가죽은 잘 깨지지 않습니다.

❺ ❶은 재료(물질), ❷는 나무, ❸은 금속, ❹는 섬유, ❺는 물질(재료), ❻은 용도입니다. ❶~❻의 모든 글자를 지우고 남은 글자들을 연결하면 '엄마를 도와 설거지를 해 보아요'라는 문장이 남습니다.

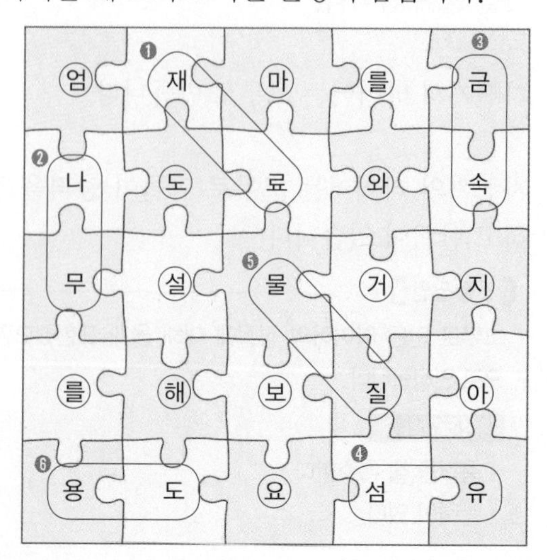

2주 동물의 한살이

1일 동물의 암수

57쪽 개념 체크

1 깃털 2 갈기 3 수컷

58~59쪽 개념 확인하기

1 ㉡ 2 (1) ㉠ (2) ㉡ 3 ①, ④
4 민요 5 ㉡ 6 ②

똑똑한 하루 퀴즈

7

정	✿	뿔	공
신	갈	난	생
✿	증	기	김
반	수	✿	새
암	컷	트	장

❶ 갈기
❷ 수컷
❸ 생김새
❹ 암컷

풀이

1 원앙은 몸 색깔이 더 화려한 ㉠이 수컷이고, 몸 색깔이 수수한 ㉡이 암컷입니다.

2 사자의 암컷은 갈기가 없고, 수컷은 갈기가 있습니다.

3 붕어와 참새는 암수의 생김새가 비슷해서 암수가 쉽게 구별되지 않습니다.

4 동물에 따라 암수가 함께 알이나 새끼를 돌보는 동물도 있고, 암컷이나 수컷 혼자서 알이나 새끼를 돌보는 동물도 있으며, 암수 모두 알이나 새끼를 돌보지 않는 동물도 있습니다.

5 곰은 암컷이 새끼를 돌보고, 거북은 암수 모두 알을 돌보지 않습니다.

6 가시고기는 수컷이 알을 돌봅니다.

7 ❶ 사자는 갈기가 있는 것이 수컷이고, 갈기가 없는 것이 암컷입니다.
❷ 꿩은 깃털 색깔이 더 화려한 것이 수컷이고, 깃털 색깔이 수수한 것이 암컷입니다.
❸ 붕어, 무당벌레 등과 같이 암수의 생김새가 비슷한 동물은 암수가 쉽게 구별되지 않습니다.
❹ 곰은 암컷이 새끼를 돌봅니다.

2일 배추흰나비의 한살이

63쪽 개념 체크

1 노란색 2 허물 3 번데기

64~65쪽 개념 확인하기

1 ㉣ 2 ①, ④ 3 부화
4 ④ 5 ②

집중 연습 문제

6 어른벌레 7 (1) ㉡, ㉣ (2) ㉠, ㉢

풀이

1 배추흰나비알은 연한 노란색이며 길쭉한 옥수수 모양입니다.

2 배추흰나비알은 1 mm 정도로 작으며 자라지 않고 움직이지 않습니다.

3 동물의 알에서 애벌레나 새끼가 알껍데기를 뚫고 밖으로 나오는 것을 부화라고 합니다.

4 배추흰나비 애벌레는 알껍데기에 영양분이 많이 들어 있기 때문에 알에서 나오자마자 자신이 나온 알껍데기를 갉아 먹습니다.

5 배추흰나비는 알 → 애벌레 → 번데기 → 어른벌레의 단계를 거치며 자랍니다.

6 배추흰나비 번데기는 시간이 지나면 번데기 껍질이 벌어지면서 배추흰나비 어른벌레가 나옵니다.

7 배추흰나비 번데기는 먹이를 먹지 않으며 움직이지 않습니다. 배추흰나비 어른벌레는 가슴에 있는 두 쌍의 날개로 날아다니며 입에 말려서 붙어 있는 관을 쭉 펴서 꿀을 빨아 먹습니다.

▲ 배추흰나비 어른벌레가 꿀을 먹는 모습

3일 곤충의 한살이

69쪽 개념 체크

1 머리 2 불완전 3 완전

70~71쪽 개념 확인하기

1 ④ 2 배 3 ① 4 ㉢
5 ㉢, ㉡, ㉠ 6 ②

똑똑한 하루 퀴즈

7

쌍	거	지	애
곤	미	★	벌
★	충	발	레
불	완	전	기
상	★	실	록

❶ 곤충 ❷ 불완전 ❸ 애벌레

풀이

1 곤충은 다리가 세 쌍 있습니다.

2 배추흰나비는 곤충으로, 곤충은 몸이 머리, 가슴, 배 세 부분으로 되어 있습니다.

3 사슴벌레는 알 → 애벌레 → 번데기 → 어른벌레의 단계를 거치는 완전 탈바꿈을 합니다.

4 곤충의 한살이에서 번데기 단계가 있는 것은 완전 탈바꿈, 번데기 단계가 없는 것은 불완전 탈바꿈입니다.

5 잠자리는 알 → 애벌레 → 어른벌레의 단계를 거치는 불완전 탈바꿈을 합니다.

6 ②는 불완전 탈바꿈을 하고, ①, ③, ④는 완전 탈바꿈을 합니다.

7 ❶ 몸이 머리, 가슴, 배 세 부분으로 되어 있고 다리가 세 쌍인 동물은 곤충이라고 합니다.
❷ 곤충의 한살이에서 번데기 단계를 거치지 않는 것을 불완전 탈바꿈이라고 합니다.
❸ 무당벌레는 알 → 애벌레 → 번데기 → 어른벌레의 단계를 거치는 완전 탈바꿈을 합니다.

4일 여러 가지 동물의 한살이

75쪽 개념 체크

1 솜털 2 암컷 3 새끼

76~77쪽 개념 확인하기

1 ㉡ 2 ④ 3 ㉠ 4 ④

집중 연습 문제

5 병아리 6 ① 알

풀이

1 다 자란 닭은 암컷이 알을 낳을 수 있습니다.

2 알을 낳는 동물은 공통적으로 다 자라면 암컷이 알을 낳을 수 있습니다.

3 갓 태어난 강아지는 어미젖을 먹고 자랍니다.

4 ①, ②, ③은 알을 낳는 동물입니다.

5 닭의 알에서는 병아리가 껍데기를 깨고 나옵니다.

6 닭의 한살이는 알 → 병아리 → 큰 병아리 → 다 자란 닭입니다.

5일 2주 마무리하기

80~83쪽 마무리하기 문제

1 ㉠ 수컷 ㉡ 암컷 2 ㉡ 3 ③
4 ⑤ 5 ㉠ 6 ③ 7 애벌레
8 ㉡ 9 ④ 10 예 알 → 애벌레 → 어른벌레를 거쳐 자란다. 11 ④ 12 ③ 13 암컷

똑똑한 하루 퀴즈

14

풀이

1 사자는 갈기가 있는 것이 수컷이고, 갈기가 없는 것이 암컷입니다.

2 무당벌레와 붕어는 암수의 생김새가 비슷하여 암수가 쉽게 구별되지 않습니다. 원앙은 몸 색깔이 더 화려한 것이 수컷입니다.

3 ①은 수컷이 알을 돌보고, ②는 암컷이 새끼를 돌보며, ④는 암수가 함께 알과 새끼를 돌봅니다.

4 동물이 태어나서 성장하여 자손을 남기는 과정을 동물의 한살이라고 합니다.

5 옥수수 모양인 것은 배추흰나비알입니다.

6 배추흰나비 번데기는 한 곳에 붙어서 움직이지 않으며 먹지도 않고 자라지도 않습니다.

7 배추흰나비는 알 → 애벌레 → 번데기 → 어른벌레의 단계를 거치며 자랍니다.

8 몸이 머리, 가슴, 배 세 부분으로 되어 있고 다리가 세 쌍인 동물을 곤충이라고 합니다.

9 곤충의 한살이에서 번데기 단계를 거치는 것은 완전 탈바꿈, 거치지 않는 것은 불완전 탈바꿈이라고 합니다.

10 메뚜기는 불완전 탈바꿈을 하는 곤충으로 알 → 애벌레 → 어른벌레 단계를 거치며 자랍니다.

인정 답안

불완전 탈바꿈의 각 단계를 모두 나타내거나 '불완전 탈바꿈'이라는 말이 들어가도록 쓰면 정답으로 인정합니다.

인정 답안의 예
- 불완전 탈바꿈을 한다.
- 알 → 애벌레 → 어른벌레의 단계를 거친다.
- 번데기 단계를 거치지 않는 불완전 탈바꿈을 한다. 등

11 ①, ②, ③, ⑤는 새끼를 낳는 동물입니다.

12 병아리는 솜털로 덮여 있고 병아리가 자라서 큰 병아리가 되면서 솜털이 깃털로 바뀝니다. ①은 큰 병아리, ②는 알, ③은 병아리, ④는 다 자란 닭의 모습입니다.

13 새끼를 낳는 동물은 자라서 암수가 짝짓기를 하여 암컷이 새끼를 낳는다는 공통점이 있습니다.

14 ❶은 번데기, ❷는 갈기, ❸은 불완전, ❹는 완전, ❺는 다리, ❻은 병아리입니다.

2주 | TEST + 특강

84~85쪽 누구나 100점 TEST

1 (1) ㉡에 ○표 (2) ㉠에 ○표 **2** (1) ㉢ (2) ㉠ (3) ㉣ (4) ㉡
3 애벌레 **4** ② **5** ㉡, ㉢, ㉠, ㉣
6 ②, ③ **7** 번데기 **8** ㉡
9 (1) × (2) × (3) ○ (4) ○ **10** (1) ㉡, ㉢ (2) ㉠, ㉣

풀이

1 사슴은 뿔이 있는 것이 수컷이고, 꿩은 깃털 색깔이 선명하고 화려한 것이 수컷입니다.

2 동물마다 알이나 새끼를 돌볼 때 암수가 하는 역할이 다릅니다.

3 배추흰나비 번데기는 자라지 않고 움직이지도 않습니다.

4 배추흰나비 어른벌레는 두 쌍의 날개가 있으며, 날개를 움직여 날아다닙니다.

5 배추흰나비는 알 → 애벌레 → 번데기 → 어른벌레의 단계를 거치며 자랍니다.

6 몸이 머리, 가슴, 배로 구분되어 있고, 다리가 세 쌍인 동물을 곤충이라고 합니다.

7 완전 탈바꿈은 알 → 애벌레 → 번데기 → 어른벌레의 단계를 거치며 자라고, 불완전 탈바꿈은 알 → 애벌레 → 어른벌레의 단계를 거치며 자랍니다.

8 무당벌레는 번데기 단계를 거치는 완전 탈바꿈을 하고, 노린재는 번데기 단계를 거치지 않는 불완전 탈바꿈을 합니다.

9 병아리는 모이를 먹고 자라며, 다 자란 닭은 암컷이 알을 낳을 수 있습니다.

10 고양이와 말은 새끼를 낳는 동물이고, 개구리와 연어는 알을 낳는 동물입니다.

87쪽 생활 속 과학 융합

❶

풀이

❶ 달팽이, 지렁이, 지네, 무당벌레 중 곤충에 해당하는 것은 무당벌레이므로, 무당벌레가 있는 쪽으로 탈출해야 합니다.

88~89쪽 사고 쑥쑥 창의

❷

❸ (1) – ㉡ – ㈎ (2) – ㉠ – ㈏

풀이

❷ 무당벌레는 생김새가 비슷해 암수 구별이 어려우며, 사슴의 수컷은 뿔이 있습니다. 가시고기는 수컷이 알을 돌보고, 꿩은 수컷의 깃털이 더 화려합니다. 원앙은 수컷의 몸 색깔이 더 화려하며, 곰은 암컷이 새끼를 돌봅니다.

❸ 무정란은 수탉 없이 암탉 혼자서 만드는 달걀로 암탉이 알을 품어도 병아리가 나오지 않습니다. 유정란은 암탉과 수탉의 짝짓기로 나온 달걀로 암탉이 알을 품으면 병아리가 나옵니다.

90~91쪽 논리 탄탄 코딩

❹ → → ↓ → → → ↓ → ← → ← → ↑

❺ 나뭇가지에 ○표

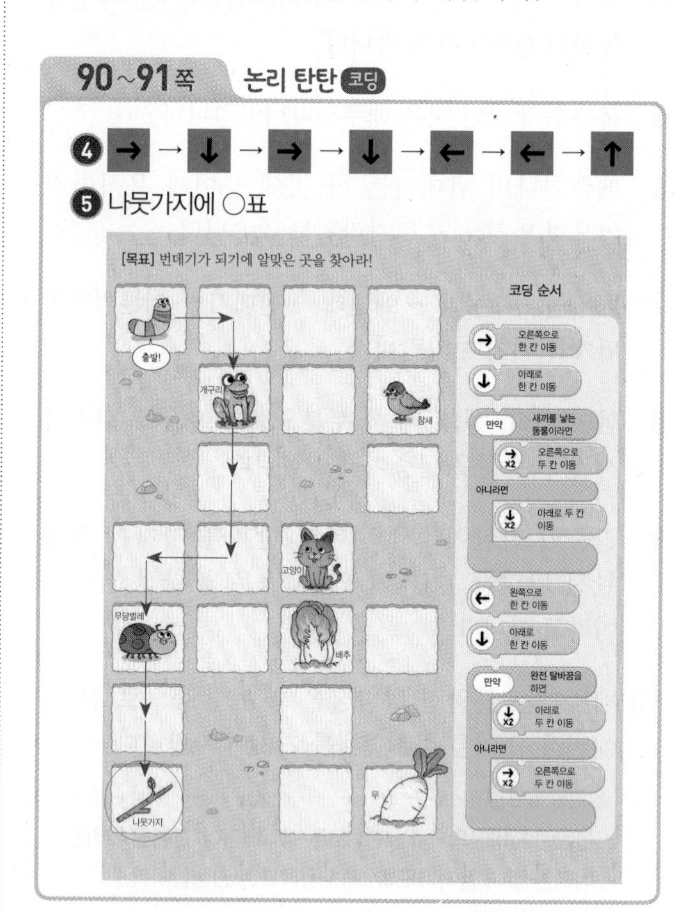

풀이

❹ 사슴벌레는 알 → 애벌레 → 번데기 → 어른벌레의 과정을 거쳐 자라는 완전 탈바꿈을 합니다. 코딩 명령어를 7개만 사용하여 알 → 애벌레 → 번데기 → 어른벌레 칸을 순서대로 지나도록 해야 정답으로 인정합니다.

❺ 개구리는 알을 낳는 동물이므로 아래로 두 칸 이동해야 하고, 무당벌레는 완전 탈바꿈을 하므로 아래로 두 칸 이동해야 합니다.

3주 자석의 이용

1일 자석

99쪽 개념 체크

1 붙는, 철 2 양쪽 끝 3 극, 2

100~101쪽 개념 확인하기

1 (1) ○ (2) × (3) ○ (4) × 2 ①, ③

3 (N, S 막대자석의 양쪽 끝에 표시)

4 (1) ㉠ (2) ㉠ 5 극 6 ③

똑똑한 하루 퀴즈

7

궁	예	★	고
★	철	돌	리
극	막	대	자
기	자	전	거
동	금	석	★

❶ 자석 ❷ 철 ❸ 극 ❹ 고리

풀이

1 철로 된 물체만 자석에 붙습니다. 고무로 만든 지우개, 유리로 만든 유리컵은 자석에 붙지 않습니다.

2 철사, 종이찍개 침, 철이 든 빵 끈은 철로 된 물체로 모두 자석에 붙습니다.

3 막대자석에서 클립이 많이 붙는 부분은 양쪽 끝부분입니다.

4 고리 자석과 동전 모양 자석에서 클립이 많이 붙는 부분은 양쪽 둥근 면입니다.

5 자석에서 철로 된 물체가 많이 붙는 부분을 자석의 극이라고 합니다.

6 자석의 극은 항상 두 개입니다.

7 ❶ 철을 끌어당기는 성질을 띤 물체는 자석입니다.
❷ 자석에 붙는 물체는 철로 만들어졌습니다.
❸ 자석에서 철로 된 물체가 많이 붙는 부분은 자석의 극입니다.
❹ 고리 자석은 자석의 극이 양쪽 둥근 면에 있습니다.

2일 자석의 힘

105쪽 개념 체크

1 끌려 2 끌어당기는 3 자석

106~107쪽 개념 확인하기

1 ㉠ 2 (1) ㉡ (2) ㉠ 3 ㉡
4 ㉠ 5 ②

집중 연습 문제

6 (1) ○ (2) × (3) ○ (4) × (5) ○

풀이

1 빵 끈 조각이 막대자석에 끌려옵니다.

2 철로 된 물체로부터 자석이 멀어질 경우 자석이 철로 된 물체를 끌어당기는 힘은 조금씩 약해집니다.

3 철로 된 물체와 자석이 약간 떨어져 있어도 자석은 철로 된 물체를 끌어당길 수 있습니다.

4 자석 필통의 뚜껑에는 철이 있습니다.

5 자석 필통, 자석 드라이버, 자석 클립 통은 자석이 철로 된 물체를 끌어당기는 성질을 이용한 생활용품입니다.

6 자석과 철로 된 물체 사이에 얇은 종이 등의 물질이 있어도 자석은 철로 된 물체를 끌어당길 수 있습니다.

3일 자석이 가리키는 방향

111쪽 개념 체크

1 북(남), 남(북) 2 S, N 3 자석

112~113쪽 개념 확인하기

1 ②

2

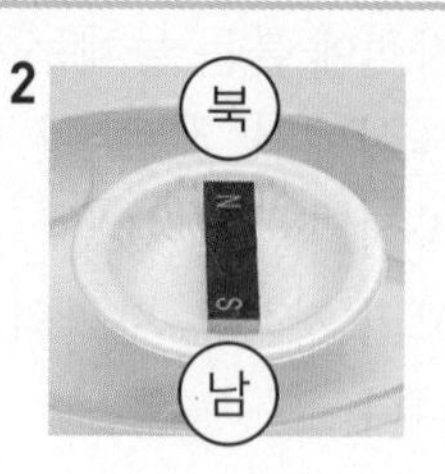

3 (1) ㉠ (2) ㉡

4 ㉡

5 ②

6 북(남), 남(북)

똑똑한 하루 퀴즈

7

자	석	막	대
기	나	침	반
화	침	바	★
시	판	늘	S
계	★	N	극

❶ 나침반 ❷ S극 ❸ N극 ❹ 자기화

풀이

1 물에 띄운 막대자석은 항상 일정한 방향을 가리킵니다.

2 물에 띄운 막대자석이 멈췄을 때 북쪽과 남쪽을 가리킵니다.

3 북쪽을 가리키는 자석의 극을 N극, 남쪽을 가리키는 자석의 극을 S극이라고 합니다.

4 나침반 바늘은 항상 북쪽과 남쪽을 가리킵니다.

5 막대자석의 극에 머리핀을 1분 동안 붙여 놓아 자기화 시킵니다.

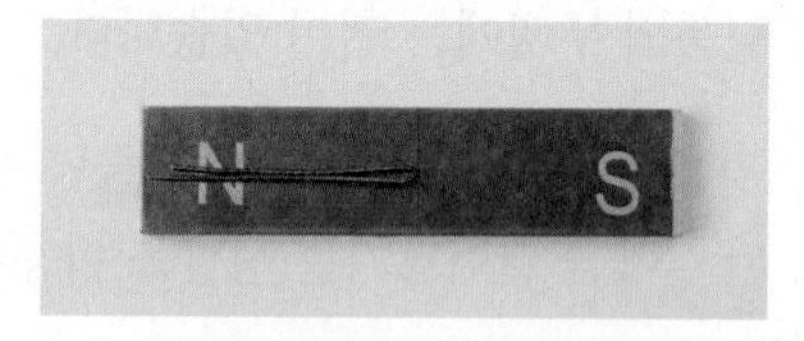

6 머리핀은 자석의 성질을 띠게 되어 물에 띄우면 북쪽과 남쪽을 가리킵니다.

7 ❶ 자석이 일정한 방향을 가리키는 성질을 이용하여 방향을 찾을 수 있도록 만든 도구는 나침반입니다.
❷ 남쪽을 가리키는 자석의 극은 S극입니다.
❸ 북쪽을 가리키는 자석의 극은 N극입니다.
❹ 자석이 아닌 물체가 자석의 성질을 띠게 되는 것을 자기화라고 합니다.

4일 자석과 자석 사이에 작용하는 힘

117쪽 개념 체크

1 N극 2 N극 3 가리킵니다

118~119쪽 개념 확인하기

1 ㉠ 밀어 내는 힘 ㉡ 끌어당기는 힘

2 ②

3 (1) ○ (2) × (3) × (4) ○

4 ②, ④

5 (1) ㉡ (2) ㉡

똑똑한 하루 퀴즈

6

나	침	반	끌
침	자	★	당
반	석	S	기
바	N	극	★
늘	쪽	자	기

❶ 나침반 바늘 ❷ N극 ❸ 자석

풀이

1 ㉠은 자석의 같은 극끼리, ㉡은 자석의 다른 극끼리 가까이 하는 경우입니다. ㉠의 경우 밀어 내는 힘, ㉡의 경우 끌어당기는 힘이 작용합니다.

2 막대자석 두 개를 같은 극끼리 마주 보게 나란히 놓고 한 자석을 다른 자석 쪽으로 밀면 자석이 서로 밀어 냅니다.

3 자석은 같은 극끼리는 서로 밀어 내고, 다른 극끼리는 서로 끌어당깁니다.

4 막대자석의 N극을 나침반에 가까이 하면 나침반 바늘의 S극이 돌아 자석의 N극을 가리킵니다.

5 막대자석의 N극 주위에 놓은 나침반 바늘의 S극은 자석의 N극을 가리키고, 막대자석의 S극 주위에 놓은 나침반 바늘의 N극은 자석의 S극을 가리킵니다.

6 ❶ 막대자석을 나침반에 가까이 가져갈 때 막대자석의 극을 가리키는 것은 나침반 바늘입니다.
❷ 나침반에 막대자석의 S극을 가까이 가져갈 때 나침반 바늘의 N극이 끌려옵니다.
❸ 막대자석 주위에서 나침반 바늘이 가리키는 방향이 달라집니다.

5일 3주 마무리하기

122~125쪽 마무리하기 문제

1 ② 2 ㉠ 3 예 자석의 극
4 예 빵 끈 조각이 투명한 통의 윗부분에 붙어 있다.
5 ① 6 자석 7 ④
8 (1) 북 (2) 남 9 ① 10 ③
11 N극 12 ⑤

똑똑한 하루 퀴즈

13

	❶❷자	기	화		
	석				
	의		❸나	침	반
❹N	극				
			❺바		
			늘		

풀이

1 철로 된 옷핀은 자석에 붙는 물체입니다. 동전은 철이 아닌 금속으로 된 물체로 자석에 붙지 않습니다.

2 자석에 붙는 물체의 공통점은 철로 만들어졌습니다.

3 자석에서 클립이 많이 붙는 부분을 찾아 자석의 극을 확인하는 실험입니다.

4 철이 든 빵 끈 조각과 자석이 약간 떨어져 있어도 자석은 철이 든 빵 끈 조각을 끌어당길 수 있습니다.

인정 답안

빵 끈 조각은 자석이 끌어당기는 힘에 의해 통의 윗부분에 붙어 있다는 내용을 쓰면 정답으로 인정합니다.

인정 답안의 예

- 빵 끈 조각이 그대로 통의 윗부분에 붙어 있다.
- 자석의 끌어당기는 힘이 작용하여 빵 끈 조각은 바닥으로 떨어지지 않는다. 등

5 자석과 철이 든 빵 끈 조각 사이에 얇은 종이 등의 물질이 있어도 자석은 철이 든 빵 끈 조각을 끌어당길 수 있습니다.

6 자석 필통, 자석 클립 통, 자석 드라이버는 모두 자석이 들어 있습니다.

7 물에 띄운 막대자석은 항상 북쪽과 남쪽을 가리킵니다.

8 공중에 띄운 막대자석은 일정한 방향을 가리킵니다. 자석의 N극은 북쪽을 가리키고 자석의 S극은 남쪽을 가리킵니다.

9 철로 된 물체를 자석에 붙여 놓으면 그 물체도 자석의 성질을 띠게 됩니다.

10 자석의 한쪽 극이 N극이므로 ㉠은 S극임을 알 수 있습니다. ㉡은 ㉠(S극)과 서로 밀어 내므로 같은 극(S극)임을 알 수 있습니다.

11 막대자석의 S극 쪽으로는 빨간색으로 표시된 나침반 바늘의 N극이 끌려오고, 막대자석의 N극 쪽으로는 나침반 바늘의 S극이 끌려옵니다.

12 철로 된 물체를 자석에 붙여 놓거나 한쪽 극으로 한쪽 방향으로만 문지르면 그 물체도 자석의 성질을 띠게 됩니다.

13 ❶은 자기화, ❷는 자석의 극, ❸은 나침반, ❹는 N극, ❺는 바늘입니다.

3주 | TEST+특강

126~127쪽 누구나 100점 TEST

1 (1) ㉠ (2) ㉡ 2 ③ 3 버리 4 ②
5 자석 6 ① 7 ②, ⑤
8 (1) 밀 (2) 끌 9 ㉡ 10 ㉡

풀이

1 가위의 날 부분은 철로 만들어졌고, 가위의 손잡이 부분은 플라스틱으로 만들어졌습니다. 철로 만들어진 가위의 날 부분만 자석에 붙습니다.

2 클립이 많이 붙는 부분은 자석의 극으로 막대자석의 양쪽 끝부분에 있습니다.

3 철로 된 물체로부터 자석이 멀어질 경우 자석이 물체를 끌어당기는 힘은 조금씩 약해집니다.

4 고리 자석의 극은 양쪽 둥근 면에 있습니다.

5 자석 드라이버는 끝부분이 자석으로 되어 있어 나사를 드라이버 끝부분에 고정시키기 편리합니다.

7 막대자석에 붙여 놓은 머리핀은 자석의 성질을 띠게 되어 클립을 끌어당깁니다.

8 자석은 같은 극끼리는 서로 밀어 내고, 다른 극끼리는 서로 끌어당깁니다.

9 나침반에서 막대자석의 N극을 멀어지게 하면 나침반 바늘이 원래 가리키던 방향으로 돌아갑니다.

10 자석은 철로 된 물체를 끌어당깁니다.

129쪽 생활 속 과학 융합

❶

풀이

❶ 나침반 바늘의 N극은 항상 북쪽을 가리킵니다. 나침반 바늘에서 북쪽을 가리키는 부분은 주로 빨간색으로 표시되어 있습니다.

130~131쪽 사고 쑥쑥 창의

❷ (1) (2) 철

❸

풀이

❷ 가위의 날, 자석 칠판, 소화기 몸통은 철로 된 물체로 자석에 붙습니다.

❸ 막대자석이나 말굽자석의 N극은 주로 빨간색, S극은 주로 파란색으로 표시합니다.

132~133쪽 논리 탄탄 코딩

❹ / 답 같은 극

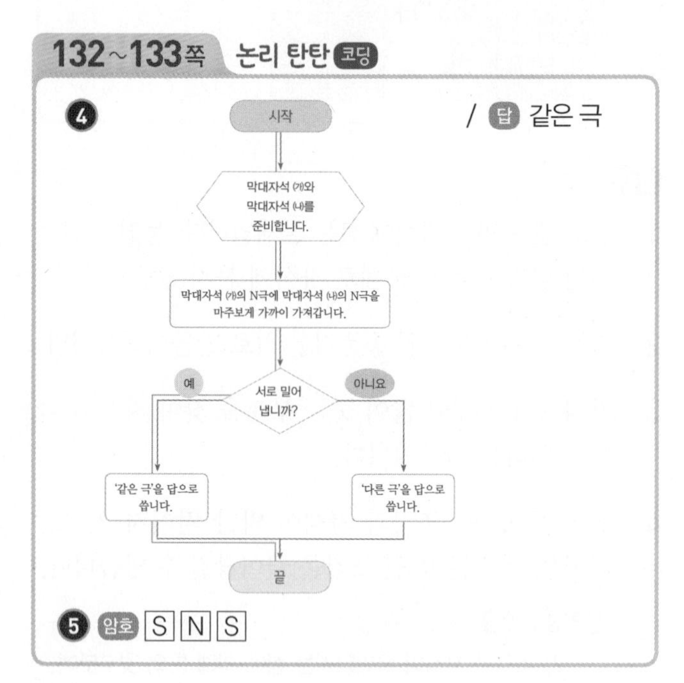

❺ 암호 S N S

풀이

❹ 자석의 같은 극끼리는 서로 밀어 내는 힘이 작용합니다.

❺ 빨간색 고리 자석의 윗면에 막대자석의 N극을 가까이 가져갈 때 서로 밀어 내기 때문에 빨간색 고리 자석의 윗면은 N극입니다.

- 위아래에 위치한 고리 자석이 서로 붙어 있으면 마주 보는 면의 극은 서로 다른 극입니다.
- 위아래에 위치한 고리 자석이 서로 붙어 있지 않으면 마주 보는 면의 극은 서로 같은 극입니다.

4주 지구의 모습

1일 지구의 표면

141쪽 개념 체크

1 강　　2 육지　　3 바다

142~143쪽 개념 확인하기

1 ③　　2 ⑤　　3 ㉢
4 ㉠ 육지 ㉡ 바다　　5 <　　6 ④

똑똑한 하루 퀴즈

7

바		표	
닷	면	바	빙
물	다		하
	육	지	

❶ 빙하 ❷ 육지 ❸ 바다 ❹ 표면 ❺ 바닷물

풀이

1 지구 표면을 스마트 기기로 검색할 때는 강, 계곡, 빙하, 화산 등을 검색합니다.

2 우리나라에서는 산, 들, 강, 계곡, 호수, 갯벌, 바다 등 여러 모습을 볼 수 있습니다. 세계 여러 곳에서 볼 수 있는 사막, 빙하, 화산 등도 지구 표면의 또 다른 모습입니다.

3 곡식들이 자라고 있는 편평하고 넓게 트인 들의 모습입니다.

4 우리가 사는 지구의 표면은 크게 육지와 바다로 나눌 수 있습니다. 육지는 강이나 바다와 같이 물이 있는 곳을 제외한 지구의 표면입니다. 바다는 육지를 제외한 부분입니다.

5 지도에서 전체 50칸 중 육지 칸의 수가 14칸이고, 바다 칸의 수가 36칸으로, 바다 칸의 수가 육지 칸의 수보다 22칸 더 많습니다. 즉, 바다가 육지보다 더 넓은 것을 알 수 있습니다.

6 육지와 바다에 사는 생물은 다릅니다.

왜 틀렸을까?
① 육지의 물은 짜지 않습니다.
② 바닷물은 짭니다.
③ 바다가 육지보다 더 넓습니다.
⑤ 바닷물이 육지의 물보다 훨씬 많습니다.

7 ❶ 우리나라에서는 눈이 두껍게 쌓여 만들어진 얼음 덩어리인 빙하를 볼 수 없습니다.
❷ 물이 있는 곳을 제외한 지구의 표면은 육지입니다.
❸ 지구 표면에서 육지를 제외한 부분은 바다입니다.
❹ 지구 표면의 많은 부분이 바다로 덮여 있습니다.
❺ 바닷물은 사람이 마시기에 적당하지 않습니다.

2일 지구의 공기

147쪽 개념 체크

1 공기　　2 풍력　　3 구름

148~149쪽 개념 확인하기

1 ②　　2 ④　　3 ㉢
4 ㉠ 예 생물 ㉡ 예 구름

집중 연습 문제

5 ㉡
- 지하철 ➡ 전기
- 연날리기 ➡ 예 바람, 공기 등

6 예 바람, 공기 등

풀이

1 우리 주위에서 공기를 이용하는 경우에는 연날리기를 하거나, 해수욕장에서 튜브를 타는 것 등이 있습니다.

2 지퍼 백에 공기를 담아 입구를 닫은 다음, 공기를 담은 지퍼 백을 손으로 누르면, 들어가고 말랑말랑한 느낌이 듭니다.

3 공기가 든 지퍼 백의 입구를 살짝 열어서 얼굴을 가져다 대고 지퍼 백을 누르면 공기가 빠져나오는 것을 느낄 수 있습니다.

4 공기는 눈에 보이지 않지만 우리 주위를 둘러싸고 있습니다. 공기가 없으면 생물이 살아갈 수 없고, 바람이 불지 않고 구름이 없으며 비가 오지 않을 것입니다.

5 연날리기는 공기(바람)를 이용한 것이고, 지하철은 전기를 이용한 것입니다.

6 요트는 바람의 힘을 이용한 것이고, 풍력 발전소에서도 바람의 힘을 이용해 전기를 얻습니다.

3일 지구와 달의 모습

153쪽 개념 체크

1 공 2 한 3 바다

154~155쪽 개념 확인하기

1 예 출발 2 ③ 3 충돌 구덩이
4 ㉠ 5 ⑤

똑똑한 하루 퀴즈

6
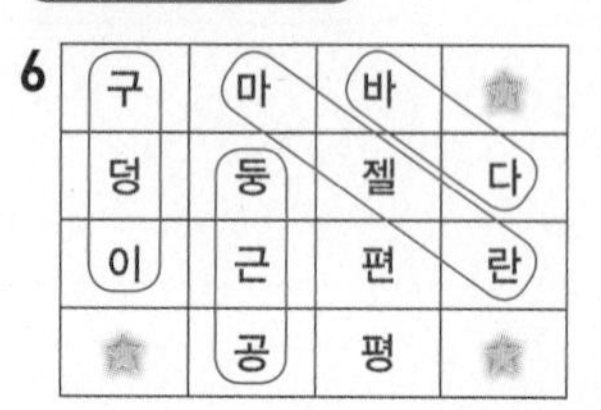

❶ 마젤란 ❷ 둥근 공 ❸ 바다 ❹ 구덩이

풀이

1 마젤란 탐험대는 스페인(에스파냐) 남서부에 있는 세비야 근처의 산루카르항에서 출발하여 세계 일주를 한 후 출발한 곳으로 다시 돌아왔습니다.

2 지구가 편평해 보이는 까닭은 사람의 크기에 비해 지구가 매우 크기 때문입니다.

3 달 표면에서 볼 수 있는 크고 작은 구덩이를 달의 충돌 구덩이라고 합니다. 충돌 구덩이는 소행성, 혜성 등이 천체 표면에 충돌하여 만들어진 구덩이를 말합니다.

4 달의 바다는 달 표면에서 어둡게 보이는 곳입니다.

5 달 표면에는 매끈매끈한 면도 있고 울퉁불퉁한 면도 있습니다.

왜 틀렸을까?
① 달 표면에는 돌이 있습니다.
② 달 표면에는 물이 없습니다.
③ 달의 색깔은 회색빛입니다.
④ 달에는 밝은 부분과 어두운 부분이 있습니다.

6 ❶ 마젤란 탐험대는 한 방향으로 계속 가서 세계 일주에 성공했습니다.
❷ 지구와 달은 둥근 공 모양입니다.
❸ 달 표면에서 어둡게 보이는 곳을 달의 바다라고 합니다.
❹ 우주 공간에서 떠돌던 돌덩이가 달 표면에 충돌하여 만들어진 것이 달의 충돌 구덩이입니다.

4일 지구와 달의 차이점

159쪽 개념 체크

1 지구 2 온도 3 검은색

160~161쪽 개념 확인하기

1 ㉠ 2 ④, ⑤ 3 예 온도
4 ㉠ 지구 ㉡ 달 5 ㉠ 6 ㉠

똑똑한 하루 퀴즈

7

유	물	★	검
바	리	★	은
다	공	구	색
기	온	도	슬

❶ 검은색 ❷ 바다 ❸ 물, 공기 ❹ 온도

풀이

1 지구에서 본 하늘은 파란색이지만, 달에서 본 하늘은 검은색입니다.

2 지구의 바다는 파랗게 보이고 생물이 살고 있습니다.

3 지구는 생물이 살기에 알맞은 온도를 유지하고 있습니다.

4 지구 모형은 달 모형보다 크게 만들어야 합니다.

5 지구가 야구공 크기라고 하면 달은 유리구슬 정도의 크기입니다.

6 지구와 달 모두 둥근 공 모양입니다.

7 ❶ 지구에서 본 하늘은 파란색이지만, 달에서 본 하늘은 검은색입니다.
❷ 지구의 바다에는 물이 있지만, 달의 바다에는 물이 없습니다.
❸ 지구에는 물과 공기가 있습니다.
❹ 지구는 생물이 살기에 알맞은 온도를 유지하고 있습니다.

5일 4주 마무리하기

164~167쪽 마무리하기 문제

1 ㉠ 2 ④ 3 ㉣
4 예 바다는 육지보다 넓다. 육지와 바다에 사는 생물이 다르다. 바닷물이 육지의 물보다 훨씬 많다. 바닷물은 짜지만 육지의 물은 짜지 않다. 등
5 예 공기 6 ④ 7 ③, ⑤ 8 ④
9 예 크기 10 ㉡ 11 ㉡
12 (1) ㉠ (2) ㉡ 13 ④

똑똑한 하루 퀴즈

14 

풀이

1 우리나라에서는 산, 들, 강, 호수, 바다 등을 볼 수 있습니다.

2 파도가 치는 바다의 모습을 나타낸 것입니다.

3 우리가 사는 지구 표면은 크게 육지와 바다로 나눌 수 있습니다.

4 육지와 바다의 차이점에는 여러 가지가 있습니다. 바다는 육지보다 넓고, 바다와 육지에 사는 생물이 다르며, 바닷물이 육지의 물보다 훨씬 많습니다. 또 바닷물은 짜지만 육지의 물은 짜지 않습니다.

인정 답안
육지와 바다의 크기 차이, 사는 생물의 차이, 물의 양과 맛 등에 대한 표현이 있으면 정답으로 인정합니다.

인정 답안의 예
- 바다가 훨씬 넓다.
- 바닷물은 소금 등이 녹아 있어 짜지만 육지의 물은 그렇지 않다. 등

5 선풍기 바람 쐬기, 달리기, 입김 불기 등으로 공기를 느낄 수 있습니다.

6 수력 발전을 이용해 전기를 얻는 것은 물을 이용한 것입니다.

7 공기는 눈에 보이지 않지만 지구를 둘러싸고 있습니다. 공기가 없으면 생물이 살아갈 수 없고, 바람이 불지 않고, 비가 오지 않을 것입니다.

왜 틀렸을까?
① 공기가 없으면 비가 오지 않을 것입니다.
② 공기가 없으면 연날리기를 할 수 없습니다.
④ 공기가 없으면 구름이 생기지 않습니다.

8 지구는 둥근 공 모양입니다.

9 지구가 편평해 보이는 까닭은 사람의 크기에 비해 지구가 매우 크기 때문입니다.

10 달 표면에서 볼 수 있는 크고 작은 구덩이를 달의 충돌 구덩이라고 합니다.

11 지구의 하늘은 파란색이고, 바다에는 물이 있습니다. 또 지구에는 다양한 생물이 살고 있습니다.

12 달 모형을 만들 때는 회색, 검은색의 색점토를 사용하고, 지구 모형을 만들 때는 초록색, 갈색, 파란색 등의 색점토를 사용합니다.

13 달 표면에는 크고 작은 구덩이가 많습니다.

14 ❶은 달의 바다, ❷는 바닷물, ❸은 공기, ❹는 크기, ❺는 남반구, ❻은 지구입니다.

4주 | TEST+특강

168~169쪽 누구나 100점 TEST

1 ①, ②	2 ㉡	3 ③	4 ㉡
5 ②	6 ④	7 ㉡	8 (1) ㉠ (2) ㉡
9 (1) 달 (2) 지구 (3) 지구 (4) 달			10 ③

풀이

1 산과 계곡은 우리나라에서 볼 수 있는 모습입니다.

2 강이나 바다와 같이 물이 있는 곳을 제외한 지구의 표면은 육지입니다. ㉠은 바다, ㉡은 육지입니다.

3 육지와 바다에는 여러 종류의 다른 생물이 삽니다.

4 공기가 있어서 비행기가 날 수 있습니다.

5 지구에 공기가 없으면 비가 오지 않을 것이고, 바람이 불지 않을 것입니다.

6 마젤란 탐험대가 세계 일주에서 알아낸 사실은 지구가 둥근 공 모양이라는 것입니다.

7 지구는 둥근 공 모양입니다.

8 달의 바다는 달 표면에서 어둡게 보이는 곳이고, 달의 충돌 구덩이는 우주 공간을 떠돌던 돌덩이가 달 표면에 충돌하여 만들어진 것입니다.

9 지구의 하늘은 파란색이지만, 달의 하늘은 검은색입니다. 지구의 바다에는 물과 생물이 있지만, 달의 바다에는 물과 생물이 없습니다.

10 ㉠은 달 모형이고, ㉡은 지구 모형입니다.

171쪽 생활 속 과학 융합

❶

풀이

❶ 공기는 눈에 보이지 않지만 지구를 둘러싸고 있으며, 공기가 있어 생물들이 숨을 쉬고 살 수 있습니다. 또 사람들이 공기를 이용하여 연날리기를 하거나 해수욕장에서 튜브를 타는 등 다양한 활동을 할 수 있습니다.

172~173쪽 사고 쑥쑥 창의

❷ 예 들, 강, 바다, 산, 갯벌 등
❸ ❶ 예 공기, 산소 등 ❷ 예 온도

풀이

❷ 지구 표면에서는 다양한 모습을 볼 수 있습니다. 우리나라에서는 산, 들, 강, 계곡, 호수, 갯벌, 바다 등 여러 모습을 볼 수 있습니다. 또한 세계 여러 곳에서 볼 수 있는 사막, 빙하, 화산 등도 지구 표면의 또 다른 모습입니다.

❸ 지구에는 물과 공기가 있어 생물이 살 수 있지만, 달에는 물, 공기가 없어 생물이 살 수 없습니다. 또 지구는 생물이 살기에 알맞은 온도지만, 달은 생물이 살기에 알맞은 온도가 아닙니다.

174~175쪽 논리 탄탄 코딩

❹ (라)
❺ 달의 바다

풀이

❹ 바다는 육지보다 넓고, 바닷물이 육지의 물보다 짭니다. 또한 육지와 바다에 사는 생물이 다르며, 바닷물은 사람이 마시기에 적당하지 않습니다. 바닷물이 육지의 물보다 훨씬 많고, 지구 표면의 많은 부분이 바다로 덮여 있습니다.

❺ 달 표면을 관찰해 보면 밝은 곳과 어두운 곳을 볼 수 있습니다. 달 표면에서 어둡게 보이는 부분을 달의 바다라고 합니다. 하지만 실제로 달의 바다에 물이 있는 것은 아닙니다.

꼭 알아야 할
사자성어

水 漁 之 交

물	물고기	갈	사귈
수	어	지	교

물고기에게 물은 정말 소중한 존재이지요.
수어지교란 물고기와 물의 관계처럼,
아주 친밀하여 떨어질 수 없는 사이
또는 깊은 우정을 일컫는 말이랍니다.

정답은
이안에
있어!

기초 학습능력 강화 프로그램

매일 조금씩 공부력 UP!

국어
예비초~초6

수학
예비초~초6

영어
예비초~초6

봄·여름 가을·겨울
(바·슬·즐)
초1~초2

안전
초1~초2

사회·과학
초3~초6

배움으로 행복한 내일을 꿈꾸는

천재교육 커뮤니티 안내

교재 안내부터 구매까지 한 번에!

천재교육 홈페이지

자사가 발행하는 참고서, 교과서에 대한 소개는 물론
도서 구매도 할 수 있습니다. 회원에게 지급되는 별을 모아
다양한 상품 응모에도 도전해 보세요!

다양한 교육 꿀팁에 깜짝 이벤트는 덤!

천재교육 인스타그램

천재교육의 새롭고 중요한 소식을 가장 먼저 접하고 싶다면?
천재교육 인스타그램 팔로우가 필수!
깜짝 이벤트도 수시로 진행되니 놓치지 마세요!

수업이 편리해지는

천재교육 ACA 사이트

오직 선생님만을 위한, 천재교육 모든 교재에 대한 정보가 담긴
아카 사이트에서는 다양한 수업자료 및 부가 자료는 물론
시험 출제에 필요한 문제도 다운로드하실 수 있습니다.

https://aca.chunjae.co.kr

천재교육을 사랑하는 샘들의 모임

천사샘

학원 강사, 공부방 선생님이시라면 누구나 가입할 수 있는 천사샘!
교재 개발 및 평가를 통해 교재 검토진으로 참여할 수 있는 기회는 물론
다양한 교사용 교재 증정 이벤트가 선생님을 기다립니다.

아이와 함께 성장하는 학부모들의 모임공간

튠맘 학습연구소

튠맘 학습연구소는 초·중등 학부모를 대상으로 다양한 이벤트와 함께
교재 리뷰 및 학습 정보를 제공하는 네이버 카페입니다.
초등학생, 중학생 자녀를 둔 학부모님이라면 튠맘 학습연구소로 오세요!